HARRAP'S

Vocabulaire Anglais

par
LEXUS
avec
Sabine Citron
et
Heather Lloyd
Raymond Perrez
Pascale Spühler

HARRAP
Londres Paris

Edition publiée en France 1989
par HARRAP BOOKS Ltd
19-23 Ludgate Hill, London EC4M 7PD
Grande-Bretagne

© *Harrap Books Limited* 1989

ISBN 0 245-50077-4

Imprimé en Grande-Bretagne par
Richard Clay,
Bungay, Suffolk

INTRODUCTION

Ce vocabulaire anglais a pour but de répondre aux besoins de tous ceux qui apprennent l'anglais, et plus particulièrement les étudiants qui préparent le baccalauréat, car il contient le vocabulaire de base nécessaire pour cet examen.

Avec plus de 6000 mots classés en 65 thèmes et des expressions de l'anglais d'aujourd'hui, il représente une véritable mine pour l'enrichissement de votre vocabulaire ; chaque chapitre, divisé en sous-thèmes, vous permettra d'approfondir votre connaissance de la langue dans un domaine précis.

Un index d'environ 2000 mots, établi en français et dressé en vue de la préparation au baccalauréat, vous permettra de trouver sans difficultés le chapitre contenant la traduction du mot recherché.

Cet ouvrage est donc un outil de travail indispensable pour votre succès en anglais.

Abréviations dans le texte :

E-U	Etats-Unis
fam.	familier
R	marque déposée

REMARQUE : les adjectifs anglais ont la même forme au masculin, féminin et au pluriel.

TABLE DES MATIERES

TABLE DES MATIERES

TABLE DES MATIERES

1. DESCRIBING PEOPLE
LA DESCRIPTION DES GENS

to be	être
to have	avoir
to look	avoir l'air
to seem	sembler
to weigh	peser
to describe	décrire
quite	assez
rather	plutôt
very	très
too	trop
description	description
appearance	apparence
look	allure, air, aspect
height	taille (*hauteur*)
size	taille (*vêtement*)
weight	poids
hair	cheveux
beard	barbe
moustache	moustache
eyes	yeux
skin	peau
complexion	teint
spot	bouton
pimple	bouton (*acné*)
mole	grain de beauté
beauty spot	grain de beauté, mouche
freckles	taches de rousseur
wrinkles	rides
dimples	fossettes
glasses	lunettes
contact lenses	lentilles de contact

young	jeune
old	vieux
tall	grand
small	petit
of average height	de taille moyenne
fat	gros
thin	maigre, mince
skinny	maigre
slim	mince
muscular	musclé
beautiful	belle
good-looking	beau
handsome	beau, séduisant (*homme*)
pretty	joli
sweet	mignon, adorable
cute	mignon, adorable
ugly	laid
spotty	boutonneux
sun-tanned	bronzé
pale	pâle
wrinkled	ridé
to have ... eyes	avoir les yeux ...
blue	bleus
green	verts
grey	gris
brown	marron
hazel	noisette
black	noirs

what's he/she like?
comment est-il/elle ?

can you describe him/her?
pouvez-vous le/la décrire ?

I'm 1.75 metres (5 feet 9 inches) tall
je mesure/fais 1 mètre 75

I weigh 11 stone(s) (70 kilos)
je pèse 70 kilos

the man with the white beard
l'homme à la barbe blanche

a woman with blue eyes
une femme aux yeux bleus

he's got beautiful eyes
il a de beaux yeux

he looks a bit strange
il a l'air bizarre

Voir aussi chapitres **2 LES VETEMENTS, 3 LE MAQUILLAGE, 4 LE CORPS, 6 LA SANTE** *et* **61 DECRIRE QUELQUE CHOSE.**

2. CLOTHES AND FASHION
LES VÊTEMENTS ET LA MODE

to dress	s'habiller
to undress	se déshabiller
to put on	mettre
to take off	enlever
to try on	essayer
to wear	porter
to suit	aller (bien)
to fit	aller (bien)

clothes · les vêtements

coat	manteau
overcoat	pardessus
raincoat	imperméable
anorak	anorak
cagoule	K-way
bomber jacket	blouson
jacket	veste, blouson
suit	costume
(lady's) suit	tailleur
dinner jacket	smoking
uniform	uniforme
trousers	pantalon
ski pants	pantalon de ski
jeans	(blue-)jean
dungarees	salopette
track suit	survêtement
shorts	short
dress	robe
evening dress	robe du soir
skirt	jupe
pleated skirt	jupe plissée
mini-skirt	mini-jupe

culottes	jupe-culotte
kilt	kilt
jumper	pull(over)
sweater	pull
heavy jumper	gros pull
polo neck (jumper)	pull à col roulé
V neck (jumper)	pull à col en V
waistcoat	(petit) gilet
cardigan	gilet
shirt	chemise
blouse	chemisier
nightdress	chemise de nuit
pyjamas	pyjama
dressing gown	robe de chambre
bikini	bikini
swimming costume	maillot de bain
swimming trunks	slip de bain
pants	slip
bra	soutien-gorge
vest	gilet de corps
T-shirt	T-shirt
underskirt	combinaison
petticoat	jupon
suspenders	porte-jarretelles
stockings	bas
tights	collants
socks	chaussettes
beret	béret
cap	casquette
hat	chapeau

footwear   les chaussures

shoes	chaussures
boots	bottes
Wellington boots/wellingtons	bottes (en caoutchouc)

ankle boots	chaussures montantes
trainers	baskets
gym shoes	(chaussures de) tennis
ski boots	chaussures de ski
sandals	sandales
espadrilles	espadrilles
flip-flops	tongs
slippers	chaussons
a pair of	une paire de
sole	semelle
heel	talon
flat heels	talons plats
stiletto heels	talons aiguilles

accessories — les accessoires

(bowler) hat	chapeau (melon)
straw hat	chapeau de paille
sun hat	chapeau de soleil
cap	casquette
scarf	écharpe
headscarf	foulard
gloves	gants
mittens	moufles
tie	cravate
bow tie	nœud papillon
braces	bretelles
belt	ceinture
collar	col
pocket	poche
button	bouton
cufflinks	boutons de manchette
zip	fermeture éclair
shoelaces	lacets
ribbon	ruban

handkerchief	mouchoir
umbrella	parapluie
handbag	sac à main

jewellery les bijoux

jewel	bijou
silver	argent
gold	or
precious stone	pierre précieuse
pearl	perle
diamond	diamant
emerald	émeraude
ruby	rubis
sapphire	saphir
ring	bague
earrings	boucles d'oreille
bracelet	bracelet
bangle	bracelet (rigide)
brooch	broche
necklace	collier
chain	chaîne
pendant	pendentif
watch	montre
costume jewellery	bijoux fantaisie
gold ring	bague en or
pearl necklace	collier de perles

size la taille

small	petit
medium	moyen
large	grand
short	court
long	long
wide	large

loose-fitting	ample
tight	étroit
(too) tight	juste
clinging	moulant
close-fitting	bien ajusté
size	taille (*vêtement*)
waist	taille (*partie du corps*)
shoe size	pointure
collar size	encolure
hip measurement	tour de hanches
bust/chest measurement	tour de poitrine
waist measurement	tour de taille

style   les styles

model	modèle
design	style, modèle
style	style
colour	couleur, coloris
shade	teinte, coloris
pattern	motif
plain	uni
printed	imprimé
embroidered	brodé
check(ed)	à carreaux
flowered/flowery	à fleurs
with pleats/pleated	à plis/plissé
polka-dot	à pois
spotted	à pois
striped	à rayures
elegant	élégant, chic
smart	chic
formal	habillé
casual	décontracté
sloppy	négligé
simple	simple
sober	sobre
loud	voyant

gaudy	voyant
fashionable	à la mode
old-fashioned	démodé
made-to-measure	fait sur mesure
low-cut	décolleté

fashion la mode

(winter) collection	collection (d'hiver)
clothing industry	confection
dressmaking	couture
fashion designer	couturier, styliste
dressmaker	couturière
fashion model	mannequin
fashion show	défilé de mode

cotton/woollen socks
des chaussettes en coton/laine

it's (made of) leather
c'est en cuir

a skirt that matches this shirt
une jupe assortie à cette chemise

what is your size?
quelle est votre taille ?

what size (of shoes) do you take?
quelle pointure faites-vous ?

red doesn't suit me
le rouge me va mal

these trousers suit you
ce pantalon vous va bien

Voir aussi chapitres **14 LES GOUTS ET LES PREFERENCES,
18 LES ACHATS, 62 LES COULEURS** *et* **63 LES
MATIERES.**

3. HAIR AND MAKE-UP
LES CHEVEUX ET LE MAQUILLAGE

to do one's hair	se coiffer
to comb one's hair	se peigner
to brush one's hair	se brosser les cheveux
to dye one's hair	se teindre les cheveux
to dye one's hair blonde	se teindre en blond
to have a hair-cut	se faire couper les cheveux
to have one's hair dyed	se faire teindre les cheveux
to have one's hair curled	se faire friser les cheveux
to have a perm	se faire faire une permanente
to have a blow-dry	se faire faire un brushing
to cut	couper
to trim	égaliser
to put one's make-up on	se maquiller
to remove one's make-up	se démaquiller
to put on perfume	se parfumer
to put on nail varnish	se mettre du vernis à ongles
to shave	se raser

hair length/colour — la longueur/couleur des cheveux

to have ... hair	avoir les cheveux ...
short	courts
long	longs
medium-length	mi-longs
blond	blonds (*clair*)
fair	blonds
brown	bruns
chestnut	châtains
black	noirs
red	roux
grey	gris

greying	grisonnants
white	blancs

to be	être ...
blond	blond
fair-haired	blond
dark-haired	brun
red-headed	roux

to be bald	être chauve

hairstyles — les coiffures

to have ... hair	avoir les cheveux ...
curly	bouclés, frisés
wavy	ondulés
straight	raides
fine	fins
thick	épais
dyed	teints
greasy	gras
dry	secs

to have a crew-cut	avoir les cheveux en brosse

(hair-)cut	coupe (de cheveux)
bob	coupe au carré
perm	permanente
blow-dry	brushing
curl	boucle
lock (of hair)	mèche (de cheveux)
highlights	mèches
fringe	frange
pony tail	queue de cheval
bun	chignon
plait	tresse, natte
pigtail	natte
bunches	couettes

comb	peigne
hairbrush	brosse à cheveux
hairslide	barrette

hairpin	épingle à cheveux
roller	bigoudi
tongs	fer à friser
wig	perruque
shampoo	shampoing
gel	gel
mousse	mousse
hair spray	laque

make-up   le maquillage

beauty	beauté
face cream	crème de beauté
moisturizing cream	crème hydratante
face pack	masque de beauté
powder	poudre
compact	poudrier
foundation cream	fond de teint
lipstick	rouge à lèvres
mascara	mascara
eye-shadow	ombre à paupières
nail varnish	vernis à ongles
make-up remover	(produit) démaquillant
nail varnish remover	dissolvant
perfume	parfum
toilet water	eau de toilette
cologne	eau de Cologne
deodorant	déodorant

shaving   le rasage

beard	barbe
moustache	moustache
razor	rasoir
electric shaver	rasoir électrique
razor blade	lame de rasoir
shaving brush	blaireau
shaving foam	mousse à raser
after-shave	après-rasage

4. THE HUMAN BODY
LE CORPS HUMAIN

parts of the body	les parties du corps
head	tête
neck	cou
throat	gorge
nape of the neck	nuque
shoulder	épaule
chest	poitrine
bust	buste, poitrine
breasts	seins
stomach	ventre
back	dos
arm	bras
elbow	coude
hand	main
wrist	poignet
fist	poing
finger	doigt
little finger	auriculaire
index finger	index
thumb	pouce
nail	ongle
waist	taille
hip	hanche
bottom	derrière
buttocks	fesses
leg	jambe
thigh	cuisse
knee	genou
calf	mollet
ankle	cheville
foot	pied
heel	talon
toe	orteil

organ	organe
limb	membre
muscle	muscle
bone	os
skeleton	squelette
spine	colonne vertébrale
rib	côte
flesh	chair
skin	peau
heart	cœur
lungs	poumons
stomach	estomac
liver	foie
kidneys	reins
bladder	vessie
blood	sang
vein	veine
artery	artère

the head   la tête

skull	crâne
brain	cerveau
hair	cheveux
face	visage
features	traits
forehead	front
eyebrows	sourcils
eyelashes	cils
eye	œil
eyelids	paupières
pupil	pupille
nose	nez
nostril	narine
cheek	joue
cheekbone	pommette
jaw	mâchoire
mouth	bouche

lips	lèvres
tongue	langue
tooth	dent
milk tooth	dent de lait
wisdom tooth	dent de sagesse
chin	menton
dimple	fossette
ear	oreille

Voir aussi chapitre **7 LES MOUVEMENTS ET LES GESTES.**

5. HOW ARE YOU FEELING ?
COMMENT VOUS SENTEZ-VOUS ?

to feel	se sentir
to be ...	avoir ...
warm	bien chaud
hot	chaud
cold	froid
hungry	faim
ravenous	une faim de loup
thirsty	soif
sleepy	sommeil
starving	affamé
(very) fit	en (pleine) forme
on (top) form	en (pleine) forme
strong	fort
tired	fatigué
exhausted	épuisé
lethargic	léthargique
weak	faible
frail	fragile, frêle
healthy	sain, bien portant
in good health	en bonne santé
sick	malade
ill	malade
awake	éveillé
alert	alerte, éveillé
agitated	agité
half asleep	mal réveillé
asleep	endormi
soaked	trempé
frozen	gelé
too	trop
totally	complètement

he looks tired
il a l'air fatigué

I feel weak
je me sens faible

I'm too hot
j'ai trop chaud

I'm starving!
je meurs de faim !

I'm exhausted
je tombe de fatigue

I've had enough
je n'en peux plus

I'm worn out
je suis à bout de forces

Voir aussi chapitre **6 LA SANTE.**

6. HEALTH, ILLNESSES AND DISABILITIES
LA SANTE, LES MALADIES ET LES HANDICAPS

to be ...	aller ...
well	bien
unwell	mal
ill	mal
better	mieux
to fall ill	tomber malade
to catch	attraper
to have ...	avoir ...
a sore stomach	mal à l'estomac
a headache	mal à la tête
a sore throat	mal à la gorge
backache	mal au dos
earache	mal aux oreilles
toothache	mal aux dents
to feel sick	avoir mal au coeur
to be/feel seasick	avoir le mal de mer
to be in pain	souffrir
to suffer (from)	souffrir (de)
to have a cold	être enrhumé
to have a heart condition	être cardiaque
to break one's leg/arm	se casser la jambe/le bras
to sprain one's ankle	se fouler/tordre la cheville
to hurt one's hand	se faire mal à la main
to hurt one's back	se faire mal au dos
to hurt	faire mal, blesser
to bleed	saigner
to vomit	vomir
to cough	tousser
to sneeze	éternuer
to sweat	transpirer
to shake	trembler
to shiver	frissonner

to have a temperature	avoir de la fièvre
to faint	s'évanouir
to be in a coma	être dans le coma
to have a relapse	faire une rechute
to treat	soigner
to nurse	soigner, s'occuper de (*invalide*)
to tend	soigner
to look after	s'occuper de
to call	appeler
to send for	faire venir
to make an appointment	prendre rendez-vous
to examine	examiner
to advise	conseiller
to prescribe	prescrire
to operate	opérer
to have an operation	se faire opérer
to have one's tonsils taken out	se faire opérer des amygdales
to X-ray	radiographier
to dress a wound	panser une plaie
to need	avoir besoin de
to take	prendre
to rest	se reposer
to be convalescing	être en convalescence
to heal	guérir
to recover	se remettre
to be on a diet	être au régime
to lose weight	maigrir
to swell	enfler
to become infected	s'infecter
to get worse	empirer
to die	mourir
ill	malade
sick	malade
unwell	souffrant
weak	faible
cured	guéri

in good health	en bonne santé
alive	vivant
pregnant	enceinte
allergic to	allergique à
anaemic	anémique
diabetic	diabétique
constipated	constipé
painful	douloureux
contagious	contagieux
serious	grave
infected	infecté
swollen	enflé
broken	cassé
sprained	foulé

illnesses   les maladies

disease	maladie
pain	douleur
epidemic	épidémie
fit	crise
attack	crise
wound	blessure, plaie
sprain	entorse
fracture	fracture
haemorrhage	hémorragie
bleeding	saignement
fever	fièvre
temperature	fièvre, température
hiccups	hoquet
cough	toux
pulse	pouls
breathing	respiration
blood	sang
blood group	groupe sanguin
blood pressure	tension
period	règles
abscess	abcès
throat infection	angine

appendicitis	appendicite
arthritis	arthrite
asthma	asthme
stroke	attaque
abortion	avortement
bronchitis	bronchite
cancer	cancer
concussion	commotion cérébrale
constipation	constipation
whooping cough	coqueluche
heart attack	crise cardiaque
epileptic fit	crise d'épilepsie
upset stomach	crise de foie
nervous breakdown	dépression nerveuse
diarrhoea	diarrhée
epilepsy	épilepsie
miscarriage	fausse couche
flu	grippe
hernia	hernie
indigestion	indigestion
infection	infection
sunstroke	insolation
leukaemia	leucémie
headache	mal/maux de tête
migraine	migraine
mumps	oreillons
pneumonia	pneumonie
rabies	rage
rheumatism	rhumatismes
cold	rhume
hay fever	rhume des foins
measles	rougeole
German measles	rubéole
AIDS	SIDA
TB	tuberculose
typhoid	typhoïde
ulcer	ulcère
chickenpox	varicelle
smallpox	variole

the skin | la peau

burn	brûlure
cut	coupure
scratch	égratignure
bite	morsure, piqûre (*d'insecte*)
itch	démangeaisons
rash	éruption
acne	acné
spots	boutons
wart	verrue
corn	cor au pied
blister	ampoule
bruise	bleu
scar	cicatrice
sunburn	coup de soleil

treatment | les soins

medicine	médecine
hygiene	hygiène
health	santé
contraception	contraception
(course of) treatment	traitement, soins
health care	soins
first aid	premiers soins
hospital	hôpital
clinic	clinique
(doctor's) surgery	cabinet médical
emergency	urgence
ambulance	ambulance
stretcher	brancard
wheelchair	fauteuil roulant
plaster cast	plâtre
crutches	béquilles
operation	opération
anaesthetic	anesthésie
blood transfusion	transfusion sanguine
X-ray	radio(graphie)

diet	régime
consultation	consultation
appointment	rendez-vous
prescription	ordonnance
convalescence	convalescence
relapse	rechute
recovery	guérison
death	mort
doctor	médecin, docteur
duty doctor	médecin de garde
specialist	spécialiste
nurse	infirmière
(male) nurse	infirmier
patient	malade, patient

medication — les médicaments

medicine	médicament
chemist's	pharmacie
antibiotics	antibiotiques
painkiller	calmant, analgésique
aspirin	aspirine
tranquillizer	calmant
sleeping tablet	somnifère
laxative	laxatif
tonic	fortifiant
vitamins	vitamines
cough mixture	sirop pour la toux
tablet	cachet, comprimé
lozenge	pastille
pastille	pastille
(contraceptive) pill	pilule (contraceptive)
drops	gouttes
antiseptic	désinfectant
ointment	pommade
cotton wool	coton hydrophile
plaster	pansement, plâtre
bandage	bande, pansement
dressing	pansement

sticking plaster	sparadrap
sanitary towel	serviette hygiénique
tampon	tampon
injection	piqûre
vaccination	vaccin

at the dentist's   chez le dentiste

dentist	dentiste
dentures	dentier
decay	carie
extraction	extraction
false teeth	dentier
filling	plombage
plaque	plaque dentaire

disabilities   les infirmités

disabled	handicapé
mentally handicapped	handicapé mental
Down's syndrome	mongolien
blind	aveugle
colour-blind	daltonien
short-sighted	myope
long-sighted	presbyte
hard of hearing	dur d'oreille
deaf	sourde
deaf and dumb	sourd-muet
crippled	infirme
lame	boiteux
handicapped person	handicapé
mentally handicapped person	handicapé mental
blind person	aveugle
disabled person	infirme
stick	canne
wheelchair	fauteuil roulant
hearing aid	appareil acoustique

glasses	lunettes
contact lenses	lentilles de contact

how are you feeling?
comment vous sentez-vous ?

I don't feel very well
je ne me sens pas très bien

I feel sick
j'ai envie de vomir

I feel dizzy
j'ai la tête qui tourne

where does it hurt?
où avez-vous mal ?

my eyes are sore
j'ai mal aux yeux

it's nothing serious
ce n'est rien de grave

I took my temperature
j'ai pris ma température

he's got a temperature of 101
il a 38 de fièvre

she had an eye operation
elle s'est fait opérer de l'œil

have you got anything for ...?
avez-vous quelque chose contre ... ?

Voir aussi chapitre **4 LE CORPS.**

7. MOVEMENTS AND GESTURES
LES MOUVEMENTS ET LES GESTES

comings and goings	les allées et venues
to go	aller
to appear	apparaître
to arrive	arriver
to go on	continuer
to run	courir
to pass	dépasser, croiser
to go/come down(stairs)	descendre (les escaliers)
to get off	descendre de (*train, bus, etc.*)
to disappear	disparaître
to go/come in(to)	entrer dans
to rush in	entrer en trombe
to be rooted to the spot	être figé sur place
to pace up and down	faire les cent pas
to go for a walk	faire une promenade
to belt along	foncer
to slide (along)	glisser
to walk	marcher
to stride	marcher à grands pas
to walk backwards	marcher à reculons
to go up(stairs)	monter (les escaliers)
to get on	monter dans (*train, bus, etc.*)
to go away	partir, s'en aller
to rush away	partir en hâte/vitesse
to go past	passer (devant)
to go through	passer par
to move back	reculer
to go/come back down	redescendre
to go/come back up	remonter
to set off again	repartir
to go/come back (in/home)	rentrer

to go/come back out	ressortir
to stay, remain	rester
to return	retourner
to come back	revenir
to hop	sautiller, sauter (à cloche pied)
to jump	sauter
to stop	s'arrêter
to go for a stroll	se balader
to hide	se cacher
to go to bed	(aller) se coucher
to lie down	s'étendre, se coucher
to hurry	se dépêcher
to set off	se mettre en route
to come/go out (of)	sortir (de)
to follow	suivre
to appear suddenly	surgir
to stagger	tituber
to dawdle	traîner
to hang about	traîner, rôder, errer
to cross	traverser
to trip	trébucher
to come	venir
arrival	arrivée
departure	départ
beginning	début
end	fin
entrance	entrée
exit, way out	sortie
return	retour
crossing	traversée
walk	promenade, balade
walking	marche
way of walking	démarche
step	pas
stroll	balade, promenade, tour
rest	repos
jump	saut
start	sursaut

| stealthily | à pas feutrés/de loup |
| at a trot/run | au pas de course |

actions   les actions

to catch	attraper
to lower	baisser
to move	bouger
to hide	cacher
to start	commencer
to remove	enlever
to close	fermer
to finish	finir
to hit	frapper
to knock	frapper
to throw	lancer
to throw away	jeter
to drop	laisser tomber
to fetch	aller chercher
to lift	lever
to raise	lever, élever
to put	mettre
to open	ouvrir
to put down	poser
to place	mettre, placer, disposer
to push	pousser
to take	prendre
to start again	recommencer
to lean on (with one's elbows)	s'accouder à
to squat down	s'accroupir
to kneel down	s'agenouiller
to lie down	s'allonger
to stretch out	s'étendre
to lean (against/on)	s'appuyer (contre/sur)
to sit down	s'asseoir
to stoop	se baisser
to get/stand up	se lever
to lean (over)	se pencher (sur)
to (have a) rest	se reposer

to turn round	se retourner
to squeeze	serrer, presser
to give a start	sursauter
to hold	tenir
to hold tight	tenir bon, serrer
to hang on to	se cramponner à
to touch	toucher
to pull	tirer
to drag	tirer, traîner

postures   les positions

sitting	assis
seated	assis
standing	debout
leaning	penché
hanging	suspendu
squatting	accroupi
kneeling	agenouillé
on one's knees	à genoux
lying down	allongé
lying face down	à plat-ventre
lying stretched out	étendu
leaning (on/against)	appuyé (sur/contre)
leaning on one's elbow	accoudé
on all fours	à quatre pattes

gestures   les gestes

to look down	baisser les yeux
to lower one's eyes	baisser les yeux
to blink	cligner des yeux
to kick	donner un coup de pied à
to punch	donner un coup de poing à
to slap	donner une gifle à
to wink	faire un clin d'œil
to make a face	faire une grimace
to make a sign	faire un signe

to frown	froncer les sourcils
to shrug (one's shoulders)	hausser les épaules
to nod	hocher la tête (*affirmatif*)
to shake one's head	hocher la tête (*négatif*)
to (cast a) glance	jeter un coup d'œil
to look up	lever les yeux
to raise one's eyes	lever les yeux
to point at	montrer du doigt
to laugh	rire
to smile	sourire
yawn	bâillement
wink	clin d'œil
glance	coup d'œil
kick	coup de pied
punch	coup de poing
gesture	geste
slap	gifle
grimace	grimace
shrug	haussement d'épaules
nod	hochement de tête (*affirmatif*)
movement	mouvement
laugh	rire
sign	signe
signal	signal
smile	sourire

we went there by car
on y est allé en voiture

I walk to school
je vais au collège à pied

he ran downstairs
il est descendu en courant

I ran out
je suis sorti(e) en courant

she ran across the street
elle a traversé la rue en courant

he staggered in
il est entré en titubant

you gave me a start!
tu m'as fait peur !

8. IDENTITY
L'IDENTITE

name	le nom
to name	nommer
to christen	baptiser
to call	appeler
to be called	s'appeler, se nommer
to nickname	surnommer
to sign	signer
to spell	épeler
identity	identité
signature	signature
name	nom
surname	nom de famille
first name	prénom
maiden name	nom de jeune fille
nickname	surnom
pet name	petit nom
initials	initiales
Mr Martin	Monsieur (M.) Martin
Mrs Martin	Madame (Mme) Martin
Miss Martin	Mademoiselle (Mlle) Martin
Ms Martin	Madame Martin (*femme mariée ou non*)
gentlemen	Messieurs
ladies	Mesdames, Mesdemoiselles

sexes	les sexes
woman	femme
lady	dame
girl	fille
man	homme
gentleman	monsieur
boy	garçon

masculine	masculin
feminine	féminin
male	de sexe masculin, homme
female	de sexe féminin, femme

marital status — l'état civil

to marry	épouser
to get married (to)	se marier (avec)
to get engaged	se fiancer
to get a divorce	divorcer
to break off one's engagement	rompre ses fiançailles

single	célibataire
unmarried	célibataire
married	marié
engaged	fiancé
divorced	divorcé
separated	séparé
widowed	veuf

husband	époux, mari
wife	épouse, femme
ex-husband	ex-mari
ex-wife	ex-femme
fiancé	fiancé
fiancée	fiancée
bridegroom	marié
bride	mariée
newly-weds	jeunes mariés
widower	veuf
widow	veuve
orphan	orphelin

ceremony	cérémonie
birth	naissance
christening	baptême
death	mort
funeral	enterrement
wedding	mariage

engagement	fiançailles
divorce	divorce
to be born	naître
to die	mourir

address   l'adresse

to live	vivre, habiter, loger
to rent	louer
to let	louer (*mettre en location*)
to share	partager
address	adresse
home address	domicile
floor	étage
storey	étage
postcode	code postal
number	numéro
phone number	numéro de téléphone
telephone directory	annuaire
owner	propriétaire
landlord	propriétaire, logeur
tenant	locataire
neighbour	voisin
in/to town	en ville
in the suburbs	en banlieue
in the country	à la campagne

religion   la religion

Catholic	catholique
Protestant	protestant
Anglican	anglican
Muslim	musulman
Jewish	juif
atheist	athée

what is your name?
comment t'appelles-tu ?

my name is Richard Johnson
je m'appelle Richard Johnson

what is your first name?
quel est ton prénom ?

her name is Mary
elle s'appelle Mary

how do you spell that?
ça s'écrit comment ?

where do you live?
où habites-tu ?

I live in Durham/in England
j'habite à Durham/en Angleterre

it's on the third floor
c'est au troisième étage

I live in Sauchiehall Street/at 27, Byres Road
j'habite dans Sauchiehall Street/au 27, Byres Road

I've been living here for a year/since 1987
j'habite ici depuis un an/1987

I'm living at Gerry's
je vis chez Gerry

Voir aussi chapitre **29 LA FAMILLE ET LES AMIS.**

9. AGE
L'AGE

young	jeune
old	vieux
age	âge
birth	naissance
life	vie
youth	jeunesse
adolescence	adolescence
old age	vieillesse, troisième âge
date of birth	date de naissance
birthday	anniversaire
baby	bébé
child	enfant
teenager	adolescent
adult	adulte
grown-ups	grandes personnes
young person	jeune
young people	jeunes
young woman	jeune femme
girl	jeune fille
young man	jeune homme
old person	personne âgée
old woman	vieille femme
old man	vieil homme
old people	personnes âgées, vieillards
pensioner	retraité

how old are you?
quel âge as-tu ?

I'm 20 (years old)
j'ai vingt ans

when were you born?
quelle est ta date de naissance ?

on the first of March 1960
(c'est) le premier mars 1960

what year were you born in?
en quelle année êtes-vous né(e) ?

I was born in Brighton in 1968
je suis né(e) à Brighton en 1968

a one-month-old baby
un bébé d'un mois

an eight-year-old child
un enfant de huit ans

a sixteen-year-old girl
une fille de seize ans

a woman of about thirty
une femme d'une trentaine d'années

a middle-aged man
un homme d'un certain âge

an elderly person
une personne du troisième âge

10. WORK AND JOBS
LE TRAVAIL ET LES METIERS

to work	travailler
to intend to	avoir l'intention de
to become	devenir
to be interested in	s'intéresser à
to study	faire des études
to go on a course	suivre une formation
to be ambitious	avoir de l'ambition
to have experience	avoir de l'expérience
to lack experience	manquer d'expérience
to be unemployed	être sans emploi, au chômage
to be on the dole	être au chômage
to look for work	chercher un emploi
to apply for a job	faire une demande d'emploi
to reject	refuser
to accept	accepter
to take on	engager, embaucher
to find a job	trouver un emploi/du travail
to be successful	réussir
to earn	gagner, toucher
to earn a living	gagner sa vie
to get	toucher
to pay	payer
to take a holiday	prendre des vacances
to take a day off	prendre un jour de congé
to lay off	licencier
to dismiss	renvoyer
to resign	démissionner
to leave	quitter
to retire	prendre sa retraite
to be on strike	être en grève
to go on strike	se mettre en grève
to strike	être/se mettre en grève
difficult	difficile
easy	facile

interesting	intéressant
exciting	passionnant
boring	ennuyeux
dangerous	dangereux
important	important
useful	utile

people at work

les professions

accountant	comptable
actor/actress	acteur (-trice)
advisor	conseiller (-ère)
army officer	officier (*de l'armée de terre*)
air hostess	hôtesse de l'air
ambulance driver	ambulancier (-ère)
architect	architecte
artist	artiste
astronaut	astronaute
astronomer	astronome
baker	boulanger (-ère)
bank clerk	employé(e) de banque
bookseller	libraire
boss	patron(ne)
bricklayer	maçon
builder	maçon, entrepreneur
bus driver	conducteur d'autobus
businessman	homme d'affaires
businesswoman	femme d'affaires
butcher	boucher (-ère)
careers adviser	conseiller (-ère) d'orientation
caretaker	concierge
carpenter	charpentier
cartoonist	dessinateur (-trice) humoristique
chambermaid	femme de chambre
chemist	pharmacien(ne)
civil servant	fonctionnaire
cleaner	femme de ménage

comedian	comédien(ne)
computer programmer	programmeur (-euse)
computer scientist	informaticien(ne)
confectioner	pâtissier (-ère)
cook	cuisinier (-ère)
counsellor	conseiller (-ère)
customs officer	douanier
dealer	négociant, fournisseur, concessionnaire
decorator	décorateur (-trice)
delivery man	livreur
dentist	dentiste
director	directeur (-trice)
doctor	docteur, médecin
dressmaker	couturier (-ère)
driver	conducteur (-trice)
dustman	éboueur
electrician	électricien(ne)
employee	employé(e)
engineer	ingénieur
executive	cadre
farmer	agriculteur (-trice)
fashion designer	styliste, couturier
fireman	pompier
fisherman	pêcheur
fishmonger	poissonnier (-ère)
florist	fleuriste
foreman	contremaître
furniture dealer	marchand(e) de meubles
garage owner	garagiste
garage mechanic	mécanicien(ne)
gardener	jardinier
graphic artist	dessinateur (-trice) de publicité
grocer	épicier (-ère)
hairdresser	coiffeur (-euse)
head teacher	directeur (-trice) (*d'école*)
inspector	contrôleur (-euse), inspecteur (-trice)
instructor	moniteur (-trice)

interpreter	interprète
janitor	concierge, gardien(ne)
jeweller	bijoutier (-ère)
journalist	journaliste
judge	juge
labourer	manœuvre
lawyer	avocat(e)
lecturer	enseignant(e) à l'université
lorry driver	camionneur
maid	bonne
manager	directeur (-trice), gérant(e)
mechanic	mécanicien(ne)
merchant	négociant, marchand en gros, grossiste
miner	mineur
minister	pasteur
model	mannequin
monk	moine
nanny	nurse
newsagent	marchand(e) de journaux
newsreader	journaliste (*présentateur*)
nun	religieuse
nurse	infirmier (-ère)
nursery teacher	jardinière d'enfants
office worker	employé(e) de bureau
owner	patron(ne) (*magasin, pub, etc.*)
painter	peintre
painter and decorator	peintre en bâtiment, peintre-décorateur
pastrycook	pâtissier (-ère)
pharmacist	pharmacien(ne)
photographer	photographe
physicist	physicien(ne)
pilot	pilote
plumber	plombier
policeman	gendarme, policier
politician	homme/femme politique
postman	facteur
priest	prêtre

primary school teacher	maître (-tresse) d'école
professor	professeur en chaire
psychiatrist	psychiatre
psychologist	psychologue
receptionist	réceptionniste
removal man	déménageur
reporter	reporter
sailor	marin, matelot
sales representative	représentant(e) (de commerce)
salesperson	vendeur (-euse)
scientist	savant(e)
secretary	secrétaire
semi-skilled worker	ouvrier spécialisé
senior executive	cadre supérieur
servant	serviteur, servante
shepherd(ess)	berger (-ère)
shoe repairer	cordonnier
shop assistant	vendeur (-euse)
shopkeeper	commerçant(e), marchand(e)
singer	chanteur (-euse)
social worker	assistant(e) social(e)
soldier	soldat
star	vedette
steward	steward
student	étudiant(e)
surgeon	chirurgien(ne)
switchboard operator	standardiste
tailor	tailleur
taxi driver	chauffeur de taxi
teacher	enseignant(e), professeur
technician	technicien(ne)
tourist guide	guide de tourisme
translator	traducteur (-trice)
TV announcer	présentateur, speakerine
(shorthand) typist	(sténo-)dactylo
unskilled worker	ouvrier non spécialisé
usherette	ouvreuse
veterinary surgeon	vétérinaire

waiter	garçon de café
waiter/waitress	serveur (-euse)
watchmaker	horloger (-ère)
worker	ouvrier (-ère)
writer	écrivain

the world of work — le monde du travail

worker	travailleur (-euse), ouvrier (-ère)
working people	travailleurs
unemployed person	chômeur (-euse)
job applicant	demandeur (-euse) d'emploi
employer	employeur
boss	patron(ne)
management	direction
staff	personnel
personnel	personnel
apprentice	apprenti(e)
trainee	stagiaire, apprenti(e)
striker	gréviste
retired person	retraité(e)
pensioner	retraité(e)
trade unionist	syndicaliste
the future	l'avenir
career	carrière
profession	profession libérale
occupation	profession
trade	métier, commerce
job	métier, poste, emploi, travail
job with good prospects	métier d'avenir
temporary job	emploi temporaire
part-time job	emploi à mi-temps
full-time job	emploi à plein temps
openings	débouchés
situation	situation
post	poste
training course	stage (de formation)
apprenticeship	apprentissage

training	formation
continuing education	formation permanente
qualifications	diplômes, qualifications professionnelles
certificate	certificat
diploma	diplôme
degree	diplôme (d'études supérieures)
employment	emploi
sector	secteur
research	recherche
computer science	informatique
business	affaires
industry	industrie
company	entreprise, société, compagnie
office	bureau
factory	usine
workshop	atelier
shop	magasin
laboratory	laboratoire
work	travail
holidays	vacances, congés
leave	congé
maternity leave	congé de maternité
sick leave	congé-maladie
paid holiday	congés payés
(work) contract	contrat (de travail)
job application	demande d'emploi
form	formulaire
ad(vertisement)	annonce
jobs advertised	offres d'emploi
interview	entrevue
salary	salaire, traitement
pay	paie
wages	salaire, paie
income	revenu
flexitime	horaire à la carte
forty-hour week	semaine de 40 heures

taxes	impôts
pay rise	augmentation
business trip	voyage d'affaires
redundancy	licenciement
pension	retraite
trade union	syndicat
strike	grève

what does he/she do (for a living)?
que fait-il/elle (dans la vie) ?

he's a doctor
il est médecin

she's an architect
elle est architecte

what would you like to do when you grow up?
qu'est-ce que tu aimerais faire plus tard ?

what are your plans for the future?
quels sont vos projets d'avenir ?

I'd like to be an artist
j'aimerais être artiste

I am planning to study medicine
j'ai l'intention de faire des études de médecine

the most important thing as far as I am concerned is the pay/free time
ce qui compte le plus pour moi, c'est le salaire/le temps libre

what I'm most interested in is biochemistry
ce qui m'intéresse le plus, c'est la biochimie

11. CHARACTER AND BEHAVIOUR
LE CARACTERE ET LE COMPORTEMENT

to behave	se comporter, se conduire
to control oneself	se dominer
to allow	permettre (à)
to obey	obéir à
to disobey	désobéir à
to prevent (from)	empêcher (de)
to forbid	interdire
to disapprove of	désapprouver
to scold	gronder
to be told off	se faire gronder
to get angry	se fâcher
to apologize	s'excuser
to forgive	pardonner
to punish	punir
to reward	récompenser
to dare	oser
apology, apologies	excuses
arrogance	arrogance
behaviour	comportement, conduite
caution	prudence
character	caractère
charm	charme
cheerfulness	gaieté
coarseness	grossièreté
craftiness	ruse
cruelty	cruauté
delight	joie
embarrassment	embarras
envy	envie
excuse	excuse
folly	folie
good behaviour	bonne tenue
honesty	honnêteté

humanity	humanité
humour	humour
impatience	impatience
insolence	insolence
instinct	instinct
intelligence	intelligence
intolerance	intolérance
jealousy	jalousie
joy	joie
kindness	gentillesse
laziness	paresse
madness	folie
mischief	malice
mood	humeur
nastiness	méchanceté
naughtiness	désobéissance
obedience	obéissance
patience	patience
politeness	politesse
pride	fierté, orgueil
punishment	punition
reward	récompense
rudeness	impolitesse
sadness	tristesse
shyness	timidité
skilfulness	habileté
telling-off	réprimande
timidity	timidité
trick	ruse, blague
spite	rancune, méchanceté
vanity	vanité
absent-minded	distrait
amusing	amusant
angry	fâché
arrogant	arrogant
astute	astucieux
bad	mauvais
boastful	vantard
boring	ennuyeux

brave	courageux
calm	calme
careful	prudent, consciencieux
cautious	prudent
charming	charmant
cheeky	effronté
cheerful	gai
clumsy	maladroit
coarse	grossier
cruel	cruel
curious	curieux
discreet	discret
disobedient	désobéissant
embarrassed	embarrassé, gêné
envious	envieux
friendly	amical
funny	drôle
good	bon, sage (*enfant*), brave
decent	honnête, respectable, brave
happy	heureux
hard-working	travailleur
honest	honnête
impatient	impatient
impulsive	impulsif
indifferent	indifférent
insolent	insolent
instinctive	instinctif
intelligent	intelligent
intolerant	intolérant
jealous	jaloux
joyful	joyeux
kind	aimable, gentil
lazy	paresseux
mad	fou
mischievous	espiègle, malveillant
modest	modeste
nasty	méchant
natural	naturel
naughty	méchant, coquin
naïve	naïf

nice	agréable, sympatique, gentil
obedient	obéissant
optimistic	optimiste
patient	patient
pessimistic	pessimiste
pleasant	agréable
polite	poli
poor	pauvre
proud	orgueilleux, fier
quiet	calme
reasonable	raisonnable
respectable	respectable
respectful	respectueux
rude	impoli, grossier
sad	triste
scatterbrained	étourdi
sensible	raisonnable
sensitive	sensible
serious	sérieux
shrewd	avisé
shy	timide
silly	bête
skilful	habile
sorry	désolé
strange	étrange, bizarre
stubborn	obstiné
stupid	stupide, idiot
surprising	surprenant
talkative	bavard
terrific	formidable, sensationnel
timid	timide
tolerant	tolérant
unhappy	malheureux
untidy	désordonné
vain	vaniteux
wily	rusé
witty	spirituel

I think she's very nice
je la trouve très sympathique

he's in a (very) good/bad mood
il est de (très) bonne/mauvaise humeur

he is good/ill-natured
il a bon/mauvais caractère

she was kind enough to lend me her car
elle a eu l'amabilité de me prêter sa voiture

I'm sorry to disturb you
excusez-moi de vous déranger

I'm (really) sorry
je suis (absolument) désolé(e)

I do apologize
je vous présente toutes mes excuses

he apologized to the teacher for being cheeky
il s'est excusé de son insolence auprès du professeur

hungry = faim

12. EMOTIONS
LES EMOTIONS

anger

la colère

to become angry with	se fâcher contre
to lose one's temper with	se mettre en colère contre
to be angry	être en colère
to be fuming	être fou de rage
to become indignant at	s'indigner de
to get excited	s'exciter, être énervé
to get worked up	s'énerver
to shout	crier
to hit	frapper
to slap (on the face)	gifler
anger	colère
indignation	indignation
tension	tension
stress	stress
cry	cri
shout	cri
blow	coup
slap (on the face)	gifle
annoyed	fâché
angry	en colère
furious	furieux
sulky	maussade
annoying	énervant, ennuyeux

sadness

la tristesse

to weep	pleurer
to cry	pleurer
to burst into tears	fondre en larmes

to sob	sangloter
to sigh	soupirer
to distress	bouleverser
to shatter (*fam.*)	bouleverser
to shock	choquer
to dismay	consterner
to disappoint	décevoir
to disconcert	déconcerter
to depress	déprimer
to move	émouvoir
to affect	affecter
to touch	toucher
to trouble	troubler
to take pity on	avoir pitié de
to comfort	réconforter
to console	consoler
grief	chagrin, douleur
sorrow	chagrin
sadness	tristesse
disappointment	déception
depression	dépression
homesickness	mal du pays, cafard
melancholy	mélancolie
nostalgia	nostalgie
suffering	souffrance
tear	larme
sob	sanglot
sigh	soupir
failure	échec
bad luck	malchance, malheur
misfortune	malheur
sad	triste
shattered (*fam.*)	bouleversé, fatigué
disappointed	déçu
depressed	déprimé
distressed	désolé
moved	ému

gloomy	mélancolique
heartbroken	navré

fear and worries   la peur et les soucis

to be frightened (of)	avoir peur (de)
to fear	craindre
to frighten	effrayer, faire peur à
to worry (about)	s'inquiéter (de)
to tremble	trembler
to dread	redouter

terror	effroi
dread	terreur, effroi
fright	frayeur
shiver	frisson
shock	choc

trouble	ennuis
anxieties	inquiétudes
problem	problème
worry	souci

fearful	craintif
afraid	effrayé
frightening	effrayant
petrified	mort de peur
worried	inquiet
nervous	nerveux
anxious	anxieux, angoissé

happiness   la joie et le bonheur

to enjoy oneself	s'amuser
to be delighted about	se réjouir de
to laugh (at)	rire (de)
to burst out laughing	éclater de rire
to have the giggles	avoir le fou rire
to smile	sourire

happiness	bonheur
joy	joie
satisfaction	satisfaction
laugh	rire
burst of laughter	éclat de rire
laughter	rires
smile	sourire
love	amour
love at first sight	coup de foudre
luck	chance
success	réussite
surprise	surprise
pleased	content
happy	heureux
in love	amoureux

he frightened them
il leur a fait peur

he's frightened of dogs
il a peur des chiens

I'm very sorry to hear that
je suis désolé(e) d'apprendre cette nouvelle

he/she misses his/her brother
son frère lui manque

I'm homesick
j'ai le mal du pays/le cafard (de ma famille)

his success made him very happy
sa réussite l'a rendu très heureux

she is lucky
elle a de la chance

he's in love with Susan
il est amoureux de Susan

13. THE SENSES
LES SENS

sight	la vue
to see	voir
to look at	regarder
to watch	regarder, observer
to observe	observer
to examine	examiner
to study closely	examiner
to see again	revoir
to catch a glimpse of	entrevoir
to squint	loucher
to glance at	jeter un coup d'œil à
to stare at	regarder fixement
to peek at	regarder furtivement
to switch on (the light)	allumer
to switch off (the light)	éteindre
to dazzle	éblouir
to blind	aveugler
to light up	éclairer
to appear	apparaître
to disappear	disparaître
to reappear	réapparaître
to watch TV	regarder la télé
sight	vue (*sens*)
sight	spectacle
vision	vision
view	vue
colour	couleur
light	lumière, clarté
brightness	clarté, éclat
darkness	obscurité
eye	œil
glasses	lunettes

sun glasses	lunettes de soleil
contact lenses	lentilles de contact
magnifying glass	loupe
binoculars	jumelles
microscope	microscope
telescope	téléscope
Braille	braille
bright	brillant
light	clair
dazzling	éblouissant
dark	obscur, sombre

hearing   l'ouïe

to hear	entendre
to listen to	écouter
to whisper	chuchoter
to sing	chanter
to hum	fredonner
to whistle	siffler
to buzz	bourdonner
to rustle	bruire
to creak	grincer
to ring	sonner
to thunder	tonner
to deafen	assourdir
to be silent	se taire
to prick up one's ears	tendre/dresser l'oreille
to slam the door	claquer la porte
to break the sound barrier	franchir le mur du son
hearing	ouïe
noise	bruit
sound	son, bruit
voice	voix
racket	boucan
din	vacarme
echo	écho

whisper	chuchotement
song	chanson
buzzing	bourdonnement
crackling	crépitement
explosion	explosion
creaking	grincement
ringing	sonnerie
thunder	tonnerre

ear	oreille
loudspeaker	haut-parleur
public address system	sonorisation
intercom	interphone
earphones	écouteurs
headset	casque
personal stereo	walkman (R)
radio	radio
Morse code	morse
earplugs	boules Quiès (R)
hearing aid	appareil acoustique

noisy	bruyant
silent	silencieux
loud	fort
faint	faible
deafening	assourdissant
deaf	sourd
hard of hearing	dur d'oreille

touch — le toucher

to touch	toucher
to stroke	caresser
to tickle	chatouiller
to rub	frotter
to knock	frapper
to hit	frapper
to scratch	gratter

| touch | toucher |

stroke	caresse
blow	coup
handshake	poignée de main
fingertips	bouts des doigts
smooth	lisse
rough	rugueux
soft	doux
hard	dur
hot	chaud
warm	chaud
cold	froid

taste — le goût

to taste	goûter
to drink	boire
to eat	manger
to lick	lécher
to sip	siroter
to gobble up	engloutir
to savour	savourer
to swallow	avaler
to chew	mâcher
to salt	saler
to sweeten	sucrer
to add spices	épicer
taste	goût
mouth	bouche
tongue	langue
saliva	salive
taste buds	papilles gustatives
appetite	appétit
appetizing	appétissant
mouthwatering	alléchant
delicious	délicieux
horrible	dégoûtant

sweet	sucré, doux
salted/salty	salé
tart	acide
sour	aigre, acide
bitter	amer
spicy	épicé
hot	épicé, fort
strong	fort
tasteless	fade

smell   l'odorat

to smell	sentir
to smell of	sentir
to sniff	renifler
to stink	puer
to be fragrant	embaumer
to perfume	parfumer
to smell nice/awful	sentir bon/mauvais

(sense of) smell	odorat
smell	odeur
scent	senteur
perfume	parfum
aroma	arôme
fragrance	parfum, senteur
stench	puanteur
smoke	fumée
nose	nez
nostrils	narines

fragrant	parfumé
scented	parfumé
stinking	puant
smoky	enfumé
odourless	inodore

      it's dark in the cellar
      il fait noir dans la cave

I heard the child singing
j'ai entendu l'enfant chanter

it feels soft
c'est lisse au toucher

it makes my mouth water
l'eau m'en vient à la bouche

this coffee tastes of soap
ce café a un goût de savon

this chocolate tastes funny
ce chocolat a un drôle de goût

it smells good/bad
ça sent bon/mauvais

this room smells of smoke
cette pièce sent la fumée

it's stuffy in here
ça sent le renfermé ici

Voir aussi chapitres **4 LE CORPS, 6 LA SANTE, 16 LA NOURRITURE** *et* **62 LES COULEURS.**

14. LIKES AND DISLIKES
LES GOUTS ET LES PREFERENCES

to like	aimer
to love	aimer (*d'amour*), adorer
to adore	adorer
to be fond of	beaucoup aimer
to be keen on	être passionné de
to appreciate	apprécier
to feel like	avoir envie de
to dislike	ne pas aimer
to detest	détester
to hate	haïr, avoir horreur de
to despise	mépriser
to prefer	préférer
to choose	choisir
to compare	comparer
to hesitate	hésiter
to decide	décider
to need	avoir besoin de
to want	vouloir
to wish	souhaiter
to wish for	désirer
love	amour
taste	goût
liking	penchant
loathing	dégoût, répugnance
hate	haine
contempt	mépris
choice	choix
comparison	comparaison
preference	préférence
contrary	contraire
opposite	contraire, opposé

contrast	contraste
difference	différence
similarity	similitude
need	besoin
wish	désir, souhait
different (from)	différent (de)
equal (to)	égal (à)
identical (to)	identique (à)
the same (as)	le même (que)
similar (to)	semblable (à)
like	comme, semblable à
in comparison with	en comparaison de
in relation to	par rapport à
more	plus
less	moins
a lot	beaucoup
enormously	énormément
a great deal	énormément, beaucoup
a lot more/less	beaucoup plus/moins
quite a lot more/less	bien plus/moins

I/they like this book
ce livre me/leur plaît

I quite like doing drama
j'aime bien faire du théâtre

red is my favourite colour
le rouge est ma couleur préférée

I prefer coffee to tea
je préfère le café au thé

I'd rather stay at home
j'aime mieux rester à la maison

I feel like going out tonight
j'ai envie de sortir ce soir

they'd like to go to the pictures
ils/elles aimeraient aller au cinéma

15. DAILY ROUTINE AND SLEEP
LA VIE QUOTIDIENNE ET LE SOMMEIL

to wake up	se réveiller
to get up	se lever
to stretch	s'étirer
to yawn	bâiller
to be half asleep	être mal réveillé
to have a long lie	faire la grasse matinée
to oversleep	se réveiller trop tard
to open the curtains	ouvrir les rideaux
to pull up the blinds	lever les stores
to switch the light on	allumer la lumière
to wash	se laver
to have a wash	faire sa toilette
to wash one's face	se débarbouiller
to wash one's hands	se laver les mains
to brush one's teeth	se laver/brosser les dents
to wash one's hair	se laver les cheveux
to have a shower	prendre une douche
to have a bath	prendre un bain
to soap oneself down	se savonner
to dry oneself	se sécher
to dry one's hands	s'essuyer les mains
to shave	se raser
to go to the toilet	aller aux toilettes
to get dressed	s'habiller
to do one's hair	se coiffer
to brush/comb one's hair	se brosser/peigner les cheveux
to put on one's make-up	se maquiller
to put in one's contact lenses	mettre ses lentilles de contact
to put in one's false teeth	mettre son dentier
to make the bed	faire son lit

to switch the radio/television on	allumer la radio/télévision
to switch the radio/television off	éteindre la radio/télévision
to have breakfast	prendre son petit déjeuner
to feed the cat/dog	donner à manger au chat/chien
to water the plants	arroser les plantes
to get ready	préparer ses affaires
to go to school	aller à l'école
to go to the office	aller au bureau
to go to work	aller travailler
to take the bus	prendre le bus
to come home	rentrer à la maison
to go home	rentrer à la maison/chez soi
to come back from school	rentrer de l'école
to come back from work	rentrer du travail
to do one's homework	faire ses devoirs
to have a rest	se reposer
to have a nap	faire la sieste
to have a cup of tea	prendre une tasse de thé
to watch television	regarder la télé(vision)
to read	lire
to play	jouer
to have dinner	dîner
to lock the door	fermer la porte à clé
to undress	se déshabiller
to draw the curtains	fermer les rideaux
to pull down the blinds	baisser les stores
to go to bed	(aller) se coucher
to tuck in	border
to set the alarm (clock)	mettre son réveil
to switch the light off	éteindre la lumière
to fall asleep	s'endormir
to sleep	dormir
to doze	sommeiller
to dream	rêver
to sleep badly	mal dormir

to suffer from insomnia	avoir des insomnies
to have a sleepless night	passer une nuit blanche

washing

la toilette

soap	savon
towel	serviette de toilette
bath towel	serviette de bain
hand towel	essuie-mains
flannel	gant de toilette
sponge	éponge
brush	brosse
comb	peigne
toothbrush	brosse à dents
toothpaste	dentifrice
shampoo	shampoing
bubble bath	bain moussant
bath salts	sels de bain
deodorant	déodorant
toilet paper	papier hygiénique
hair dryer	sèche-cheveux
scales	pèse-personne

bed

le lit

pillow	oreiller
sheet	drap
pillowcase	taie d'oreiller
blanket	couverture
extra blanket	couverture supplémentaire
duvet	couette
mattress	matelas
bedspread	couvre-lit
electric blanket	couverture chauffante
hot-water bottle	bouillotte
usually	d'habitude
in the morning	le matin
in the evening	le soir

| **every morning** | tous les matins |
| **then** | ensuite |

I set my alarm (clock) for seven
je mets mon réveil à sept heures

I am an early riser
je suis matinal(e)

I go to bed early/late
je me couche de bonne heure/tard

I slept like a log
j'ai dormi comme un loir

Voir aussi chapitres **16 LA NOURRITURE, 17 LES TRAVAUX MENAGERS, 23 MA CHAMBRE** *et* **54 LES REVES.**

16. FOOD
LA NOURRITURE

to eat	manger
to drink	boire
to taste	goûter (*plat*)

meals — les repas

breakfast	petit déjeuner
coffee break	pause (café)
brunch	brunch
lunch	déjeuner
tea	dîner, thé
dinner	dîner
supper	dîner, repas léger avant de se coucher
picnic	pique-nique
snack	casse-croûte, goûter

courses — les différents plats

appetizer	amuse-gueule
starter	entrée
hors d'œuvre	hors-d'œuvre
soup	soupe, potage
main course	plat principal
sweet	dessert
cheese	fromage

drinks — les boissons

water	eau
mineral water	eau minérale
fizzy mineral water	eau minérale gazeuse
milk	lait

(semi-)skimmed milk	lait (demi-)écrémé
tea	thé
lemon tea	thé citron
tea with milk	thé au lait
(black) coffee	café (noir)
white coffee	(café) crème, café au lait
herb tea	infusion
hot chocolate	chocolat chaud
soft drink	boisson non alcoolisée
orange squash	boisson à l'orange
orange juice	jus d'orange
fresh orange juice	orange pressée
apple juice	jus de pomme
coke (R)	coca (R)
lemonade	limonade
alcoholic drink	boisson alcoolisée
shandy	panaché
cider	cidre
beer	bière
bitter	bière anglaise amère
stout	bière brune épaisse
lager	bière blonde
malt whisky	whisky de malt
blended whisky	blend, whisky mélangé
wine	vin
rosé	rosé
claret	bordeaux
burgundy	bourgogne
champagne	champagne
aperitif	apéritif
liqueur	liqueur, digestif
brandy	eau-de-vie de vin, cognac

seasonings and herbs — les condiments et les fines herbes

salt	sel
pepper	poivre
sugar	sucre

mustard	moutarde
vinegar	vinaigre
oil	huile
garlic	ail
onion	oignon
spices	épices
herbs	fines herbes
parsley	persil
thyme	thym
basil	basilic
tarragon	estragon
mint	menthe
chives	ciboulette
cinnamon	cannelle
bay leaf	feuille de laurier
nutmeg	noix de muscade
clove	clou de girofle
ginger	gingembre
sauce	sauce
mayonnaise	mayonnaise
French dressing	vinaigrette

breakfast — le petit déjeuner

bread	pain
wholemeal bread	pain complet
French loaf	baguette
bread and butter	tartine de beurre
slice of bread and honey	tartine au miel
toast	pain grillé
croissant	croissant
butter	beurre
margarine	margarine
jam	confiture
marmalade	confiture d'orange
honey	miel
cornflakes	corn-flakes

fruit

les fruits

piece of fruit	fruit
apple	pomme
pear	poire
apricot	abricot
peach	pêche
plum	prune
nectarine	brugnon
melon	melon
pineapple	ananas
banana	banane
orange	orange
grapefruit	pamplemousse
tangerine	mandarine
lemon	citron
strawberry	fraise
raspberry	framboise
blackberry	mûre
redcurrant	groseille rouge
blackcurrant	cassis
cherry	cerise
bunch of grapes	grappe de raisin

vegetables

les légumes

vegetable	légume
peas	petits pois
green beans	haricots verts
leeks	poireaux
potato	pomme de terre
mashed potatoes	purée de pommes de terre
jacket potatoes	pommes de terre en robe de chambre
roast/boiled potatoes	pommes de terre au four/à l'eau
chips	frites
crisps	chips
carrot	carotte

cabbage	chou
cauliflower	chou-fleur
Brussels sprouts	choux de Bruxelles
lettuce	laitue, salade verte
spinach	épinards
mushroom	champignon
artichoke	artichaut
asparagus	asperge
(green) pepper	poivron (vert)
aubergine	aubergine
broccoli	brocoli
courgettes	courgettes
corn	maïs
radish	radis
tomato	tomate
cucumber	concombre
avocado	avocat
salad	salade (*préparée*), crudités
rice	riz

meat   la viande

pork	porc
veal	veau
beef	bœuf
lamb	agneau
mutton	mouton
chicken	poulet
turkey	dinde
duck	canard
poultry	volaille
steak	steak, bifteck
steak and chips	steak frites
escalope	escalope
joint	rôti
roast beef	rosbif
leg of lamb	gigot d'agneau
stew	ragoût
mince	viande hachée

hamburger	hamburger
kidneys	rognons
liver	foie
ham	jambon
liver pâté	pâté de foie
black pudding	boudin
sausages	saucisses
(garlic) sausage	saucisson (à l'ail)
bacon	bacon

fish

le poisson

cod	morue
herring	hareng
sardines	sardines
sole	sole
tuna fish	thon
trout	truite
(smoked) salmon	saumon (fumé)
whiting	merlan
seafood	fruits de mer
lobster	homard
oysters	huîtres
prawns	crevettes
mussels	moules

eggs

les œufs

egg	œuf
boiled egg	œuf à la coque
fried egg	œuf sur le plat
poached egg	œuf poché
bacon and eggs	œufs au bacon
ham and eggs	œufs au jambon
scrambled eggs	œufs brouillés
omelette	omelette

pasta	les pâtes
noodles	nouilles
spaghetti	spaghetti
macaroni	macaroni

hot dishes	les plats cuisinés
soup	potage
roast lamb with mint sauce	agneau rôti servi avec de la sauce à la menthe
roast beef and Yorkshire pudding	rosbif servi avec des sortes de choux faits de pâte à crêpe
roast pork with apple sauce	rôti de porc servi avec une sauce aux pommes
beef casserole	bœuf bourguignon
cauliflower cheese	chou-fleur à la sauce au fromage
fish and chips	poisson frit avec des frites
cooked	cuit
overdone	trop cuit
well done	bien cuit
medium	à point
rare	saignant
covered in breadcrumbs	pané
stuffed	farci
fried	frit
boiled	bouilli
roast	rôti

desserts	les desserts
apple tart	tarte aux pommes
whipped cream	(crème) chantilly
cheesecake	gâteau sablé au fromage frais, parfois recouvert de fruits
trifle	sorte de diplomate

mince pies	tarte aux fruits confits épicés
ice cream	glace
vanilla ice cream	glace à la vanille
yoghurt	yaourt
chocolate mousse	mousse au chocolat

sweet things　　les friandises

chocolate	chocolat
milk chocolate	chocolat au lait
plain chocolate	chocolat à croquer
bar of chocolate	tablette/barre de chocolat
biscuits	petits gâteaux
shortbread	sablé écossais
scone	petit gâteau servi avec du beurre et de la confiture
cake	gâteau
ice lolly	esquimau
sweets	bonbons
mints	des bonbons à la menthe
chewing gum	chewing-gum

tastes　　les goûts

sweet	sucré
salty	salé
savoury	salé
bitter	amer
sour	acide
spicy	épicé
strong	fort
hot	fort, épicé
tasteless	fade

tobacco
le tabac

to smoke	fumer
to light	allumer
to put out	éteindre
to stub out	écraser
cigarette	cigarette
cigar	cigare
non-filter cigarette	cigarette sans filtre
stub	mégot
pipe	pipe
match	allumette
lighter	briquet
packet of cigarettes	paquet de cigarettes
packet of tobacco	paquet de tabac
pipe tobacco	tabac à pipe
box of matches	boîte d'allumettes
ash	cendre
ashtray	cendrier
smoke	fumée

have you got a light?
vous avez du feu ?

Voir aussi chapitres **5 COMMENT VOUS SENTEZ-VOUS ?,
17 LES TRAVAUX MENAGERS, 60 LES QUANTITES** *et* **61
DECRIRE QUELQUE CHOSE.**

17. HOUSEWORK
LES TRAVAUX MÉNAGERS

chores	les tâches ménagères
to do the housework	faire le ménage
to cook	faire la cuisine
to prepare a meal	préparer un repas
to do the washing-up	faire la vaisselle
to do the washing	faire la lessive
to clean	nettoyer
to sweep	balayer
to dust	épousseter
to vacuum	passer l'aspirateur
to wash	laver
to rinse	rincer
to dry	sécher, essuyer
to throw away/out	jeter
to tidy up (one's room)	ranger (sa chambre)
to put away (one's things)	ranger (ses affaires)
to make the beds	faire les lits
to prepare	préparer
to cut	couper
to slice	couper en tranches
to grate	râper
to peel	éplucher
to be boiling	bouillir
to boil	(faire) bouillir
to fry	(faire) frire
to roast	(faire) rôtir
to grill	faire griller (*viande*)
to toast	faire griller (*pain*)
to set the table	mettre le couvert
to clear the table	desservir la table
to iron	repasser
to darn	repriser
to mend	raccommoder

to use	utiliser
to look after	s'occuper de
to help	aider
to give a hand	donner un coup de main

people who work in the house
ceux qui font le travail

housewife	ménagère
cleaner	femme de ménage
home help	aide ménagère
maid	bonne
au pair girl	jeune fille au pair
baby sitter	baby-sitter
childminder	gardienne d'enfants

electric appliances
les appareils ménagers

vacuum cleaner	aspirateur
washing machine	machine à laver
spin-dryer	essoreuse
tumble dryer	sèche-linge
iron	fer à repasser
sewing machine	machine à coudre
mixer	mixeur
food processor	robot de cuisine
coffee grinder	moulin à café
microwave (oven)	four à micro-ondes
fridge	frigo
refrigerator	réfrigérateur
freezer	congélateur
dishwasher	lave-vaisselle
cooker	cuisinière
oven	four
gas	gaz
electricity	électricité

toaster	grille-pain
electric kettle	bouilloire électrique
coffee-maker	cafetière électrique

household items   les ustensiles

ironing board	planche à repasser
broom	balai
dustpan and brush	pelle et balayette
brush	brosse
rag	(bout de) chiffon
floorcloth	serpillière
cloth	torchon
tea towel	torchon à vaisselle
dish drainer	égouttoir
bowl	bassine
tea cosy	couvre-théière
duster	chiffon
oven glove	gant isolant
clothes horse	séchoir
washing-up liquid	produit pour la vaisselle
washing powder	lessive
saucepan	casserole
frying pan	poêle
casserole dish	cocotte
pressure cooker	cocotte minute, autocuiseur
chip pan	friteuse
rolling pin	rouleau à pâtisserie
chopping board	planche à découper
tin opener	ouvre-boîte
bottle opener	décapsuleur
corkscrew	tire-bouchon
whisk	fouet

cutlery   les couverts

spoon	cuillère

teaspoon	cuillère à café
dessert spoon	cuillère à dessert
soup spoon	cuillère à soupe
tablespoon	cuillère de service
fork	fourchette
knife	couteau
kitchen knife	couteau de cuisine
bread knife	couteau à pain
potato peeler	épluche-légumes

dishes — la vaisselle

dishes	vaisselle
place mat	dessous-de-plat, set de table
plate	assiette
saucer	soucoupe
cup	tasse
glass	verre
wine glass	verre à vin
soup plate	assiette à soupe
dish	plat
butter dish	beurrier
soup tureen	soupière
bowl	bol, saladier, coupe
saltcellar	salière
pepper pot	poivrier
sugar bowl	sucrier
teapot	théière
coffeepot	cafetière
milk jug	pot à lait

my father does the dishes
c'est mon père qui fait la vaisselle

my parents share the housework
mes parents se partagent les travaux ménagers

Voir aussi chapitres **16 LA NOURRITURE** *et* **24 LA MAISON.**

18. SHOPPING
LES ACHATS

to buy	acheter
to cost	coûter
to spend	dépenser
to exchange	échanger
to pay	payer
to give change	rendre la monnaie
to sell	vendre
to sell at a reduced price	solder
to go shopping	faire des achats/du shopping
to do the shopping	faire les courses
cheap	bon marché
expensive	cher
free	gratuit
reduced	en solde
on special offer	en promotion
second-hand	d'occasion
customer	client
shop assistant	vendeur

shops

les magasins

baker's	boulangerie
bookshop	librairie
butcher's	boucherie
cake shop	pâtisserie
chemist's	pharmacie
shoe repairer's	cordonnerie
sweet shop	confiserie
dairy	crémerie
delicatessen	épicerie fine
department store	grand magasin
dry cleaner's	teinturerie
fishmonger's	poissonnerie
grocer's	épicerie

haberdasher's	mercerie
hardware shop	droguerie
indoor market	marché couvert
ironmonger's	quincaillerie
jeweller's	bijouterie
launderette	lavomatic
laundry	blanchisserie
leather goods shop	maroquinerie
market	marché
news stand	kiosque à journaux
off-licence	magasin de vins et spiritueux
record shop	magasin de disques
shoe shop	magasin de chaussures
shop	magasin, boutique
shopping centre	centre commercial
souvenir shop	magasin de souvenirs
sports shop	magasin d'articles de sport
stationer's	papeterie
supermarket	supermarché
... shop	magasin de ...
tobacconist and newsagent's	tabac-journaux
travel agent's	agence de voyages
florist's	fleuriste
greengrocer's	primeur
hairdresser's	coiffeur
optician's	opticien
photographer's	photographe
bag	sac
plastic bag	poche en plastique
shopping bag	cabas
shopping basket	panier
(supermarket) trolley	chariot
instructions for use	mode d'emploi
price	prix
till	caisse
change	monnaie
cheque	chèque
credit card	carte de crédit

receipt	ticket de caisse
sales	soldes
counter	comptoir
department	rayon
fitting room	salon d'essayage
escalator	escalator
first floor	premier étage
lift	ascenseur
shop window	vitrine
size	pointure, taille

I'm going to the grocer's
je vais à l'épicerie

can I help you?
vous désirez ?

I would like (I'd like) two pounds of apples please
j'aimerais un kilo de pommes, s'il vous plaît

have you got any bananas?
avez-vous des bananes ?

anything else?
et avec ça ?

that's all, thank you
c'est tout, merci

how much is this?
c'est combien ?

that comes to 20 pounds
ça fait 20 livres

have you got the exact change?
avez-vous la monnaie exacte ?

can I pay by cheque?
puis-je payer par chèque ?

do you take credit cards?
acceptez-vous les cartes de crédit ?

do you want it giftwrapped?
c'est pour offrir ?

where is the shoe department?
où se trouve le rayon chaussures ?

I love window-shopping
j'adore faire du lèche-vitrines

Voir aussi chapitres **2 LES VETEMENTS, 10 LES METIERS**
et **31 L'ARGENT.**

19. SPORT
LE SPORT

to train	(s')êntraîner
to dive	plonger
to jump	sauter
to play	jouer
to run	courir
to throw	lancer
to serve	servir
to shoot	tirer
to ski	skier
to skate	patiner
to swim	nager
to gallop	galoper
to trot	trotter
to go horse riding	faire de l'équitation
to play football/volleyball	jouer au football/volley
to go hunting	aller à la chasse
to go fishing	aller à la pêche
to go skiing	faire du ski
to score a goal	marquer un but
to be in the lead	mener, être en tête
to beat a record	battre un record
to win	gagner
to lose	perdre
to beat	battre
professional	professionnel
amateur	amateur

types of sport
les différents sports

aerobics	aérobique
American football	football américain
athletics	athlétisme
backstroke	dos crawlé
badminton	badminton

basketball	basket(ball)
boxing	boxe
breast-stroke	brasse
butterfly-stroke	brasse papillon
canoeing	canoë
crawl	crawl
cricket	cricket
cross-country skiing	ski de fond
cycling	cyclisme
diving	plongée
fencing	escrime
fishing	pêche
football	foot(ball)
gliding	vol à voile
golf	golf
gymnastics	gymnastique
hang-gliding	deltaplane (R)
high jump	saut en hauteur
hill-walking	randonnée en montagne
hockey	hockey
horse riding	équitation
hunting	chasse
ice hockey	hockey sur glace
jogging	footing, jogging
judo	judo
karate	karaté
long jump	saut en longueur
mountaineering	alpinisme
parachuting	parachutisme
physical training	culture physique
potholing	spéléologie
walking	randonnée
rock climbing	varappe
roller skating	patin à roulettes
rowing	aviron
rugby	rugby
running	course à pied
sailing	voile
shooting	tir
skating	patinage

skiing	ski
soccer	football
squash	squash
surfboarding	surf
swimming	natation
table tennis	ping-pong
tennis	tennis
volleyball	volley(ball)
walking	randonnée
water-skiing	ski nautique
weight-lifting	haltérophilie
winter sports	sports d'hiver
wrestling	lutte

equipment   l'équipement

ball	ballon, balle, boule
bat	batte
bicycle	bicyclette, vélo
bowl	boule
boxing gloves	gants de boxe
canoe	canoë
fishing rod	canne à pêche
football boots	chaussures de foot
golf club	crosse de golf
hockey stick	crosse de hockey
net	filet
parallel bars	barres parallèles
saddle	selle
sailboard	planche à voile
sailing boat	voilier
skis	skis
stopwatch	chronomètre
surfboard	surf
tennis racket	raquette de tennis

places

	les lieux
changing rooms	vestiaires
cycle track	piste cyclable
diving board	plongeoir
golf course	terrain de golf
ice-rink	patinoire
pitch	terrain
field	terrain
ground	terrain, stade
showers	douches
(ski) slope	piste
sports centre	centre sportif
stadium	stade
swimming pool	piscine
tennis court	court de tennis

competing

	la compétition
training	entraînement
team	équipe
winning team	équipe gagnante
race	course
stage	étape
scrum	mêlée
time-trial	course contre la montre
sprint	sprint
match	match
half-time	mi-temps
goal	but
score	score
draw	match nul
extra time	prolongation
penalty kick	penalty
game	partie
marathon	marathon
sporting event	compétition
championship	championnat

tournament	tournoi
rally	rallye
event	épreuve
heat	épreuve éliminatoire
final	finale
record	record
world record	record du monde
world cup	coupe du monde
Olympic Games	Jeux Olympiques
Cup Final	finale de football à Wembley
Five Nation Cup	Tournoi des Cinq Nations
medal	médaille
cup	coupe

participants   les participants

a ... player	joueur (-euse) de ...
athlete	athlète
boxer	boxeur
cyclist	cycliste
diver	plongeur (-euse)
football player	footballeur
goalkeeper	gardien de but
mountaineer	alpiniste
racing cyclist	coureur cycliste
runner	coureur
skater	patineur (-euse)
skier	skieur (-euse)
sportsman	sportif
sportswoman	sportive
tennis player	joueur (-euse) de tennis
winger	ailier
referee	arbitre
coach	entraîneur (-euse)
champion	champion(ne)
runner-up	second(e)
ski instructor	moniteur (-trice) de ski
swimming instructor	maître nageur

supporter	supporter
winner	gagnant(e), vainqueur

he does a lot of sport
il fait beaucoup de sport

she's a black-belt in judo
elle est ceinture noire de judo

the two teams drew
les deux équipes ont fait match nul

they had to go into extra time
ils ont dû jouer les prolongations

the runner crossed the finishing line
le coureur a franchi la ligne d'arrivée

we put on a spurt
nous avons piqué un sprint

ready, steady, go!
à vos marques, prêts, partez !

Voir aussi chapitre **2 LES VETEMENTS.**

20. LEISURE AND HOBBIES
LES LOISIRS ET LES PASSE-TEMPS

to be interested in	s'intéresser à
to enjoy oneself	s'amuser
to be bored	s'ennuyer
to have the time to	avoir le temps de
to read	lire
to draw	dessiner
to paint	peindre
to do DIY	bricoler
to build	construire
to take photographs	faire des photos
to collect	collectionner
to cook	cuisiner
to do gardening	jardiner
to sew	coudre
to knit	tricoter
to dance	danser
to sing	chanter
to play	jouer de/à
to take part in	participer à
to win	gagner
to lose	perdre
to beat	battre
to cheat	tricher
to bet	parier
to stake	miser
to go for walks	se promener
to go for a cycle ride	faire un tour en vélo
to cycle	faire du vélo
to go for a run in the car	faire un tour en voiture
to go fishing	aller à la pêche
interesting	intéressant
fascinating	passionnant
very keen on	passionné de

boring	ennuyeux
hobbies	loisirs, passe-temps favori
pastime	passe-temps
spare time	loisirs (*temps libre*)
reading	lecture
book	livre
strip cartoon	bande dessinée (*dans un journal*)
comic book	bande dessinée (*album*)
magazine	revue
poetry	poésie
poem	poème
drawing	dessin
painting	peinture
brush	pinceau
sculpture	sculpture
pottery	poterie
DIY	bricolage
model-making	modélisme
hammer	marteau
screwdriver	tournevis
nail	clou
screw	vis
drill	perceuse
saw	scie
file	lime
glue	colle
paint	peinture
photography	photographie
photograph	photo
camera	appareil-photo
film	pellicule
cinema	cinéma
cine-camera	caméra
video	vidéo
computing	informatique
computer	ordinateur
computer games	jeux électroniques

stamp collecting	philatélie
stamp	timbre
album	album
scrapbook	album
collection	collection
cooking	cuisine
recipe	recette
gardening	jardinage
watering-can	arrosoir
spade	pelle
rake	râteau
dressmaking	couture
sewing machine	machine à coudre
needle	aiguille
thread	fil
thimble	dé (à coudre)
pattern	patron
knitting	tricot
knitting needle	aiguille à tricoter
ball of wool	pelote de laine
embroidery	broderie
dancing	danse
ballet	ballet
music	musique
singing	chant
song	chanson
choir	chorale
piano	piano
violin	violon
cello	violoncelle
clarinet	clarinette
flute	flûte
recorder	flûte à bec
guitar	guitare
drum	tambour
drums	batterie
game	jeu
toy	jouet

board game	jeu de société
chess	échecs
draughts	dames
jigsaw	puzzle
cards	cartes
dice	dé
bet	pari
walk	promenade, randonnée
drive	tour en voiture
outing	excursion, sortie
cycling	cyclisme
bicycle	vélo
birdwatching	ornithologie
fishing	pêche

I like reading/knitting
j'aime lire/tricoter

Raymond is very good with his hands
Raymond est très bricoleur

Helen is very keen on the cinema
Helen est passionnée de cinéma

I do pottery/sculpture/tapestry
je fais de la poterie/sculpture/tapisserie

I take ballet lessons
je prends des cours de danse

I play the piano
je fais du piano

whose turn is it?
c'est à qui de jouer ?

it's your turn
c'est à vous (de jouer)

Voir aussi chapitres **19 LE SPORT, 21 LES MEDIA, 22 SORTIR LE SOIR** *et* **43 LE CAMPING.**

21. THE MEDIA
LES MEDIA

to listen to	écouter
to watch	regarder
to read	lire
to switch on	allumer
to switch off	éteindre
to switch over	changer de chaîne/station

radio
la radio

radio (set)	poste de radio
transistor	transistor
walkman (*R*)	walkman (*R*)
personal stereo	baladeur
(radio) broadcast/programme	émission (radiophonique)
news bulletin	bulletin d'informations
news	nouvelles
interview	interview
radio quiz	jeu radiophonique
charts	hit-parade
a single	un 45 tours
an LP	un 33 tours
commercial	spot publicitaire
listener	auditeur
reception	réception
interference	parasites

television
la télévision

TV	télévision, télé
television set	téléviseur
colour television	télévision en couleur
black and white television	télévision en noir et blanc
screen	écran
aerial	antenne

channel	chaîne
programme	émission
news	informations
television news	journal télévisé
film	film
documentary	documentaire
series	série télévisée
soap opera	feuilleton-fleuve
commercial	pub(licité)
newsreader	journaliste (*présentateur*)
announcer	présentateur, speakerine
presenter	animateur
viewer	téléspectateur
cable TV	télévision par câble
video (recorder)	magnétoscope

press

la presse

newspaper	journal
morning/evening paper	journal du matin/soir
weekly	hebdomadaire
magazine	magazine, revue
gutter press	presse à sensation
journalist	journaliste
reporter	reporter
chief editor	rédacteur en chef
press report	reportage
article	article
headlines	gros titres
(regular) column	rubrique
sports column	rubrique sportive
agony column	courrier du cœur
advertisement	une publicité
advertising	la publicité
classified ads	petites annonces
press conference	conférence de presse
news agency	agence de presse
circulation	tirage

on short/medium/long wave
sur ondes courtes/moyennes/longues

on the radio/air
sur les ondes

what's on television tonight?
qu'est-ce qu'il y a à la télé ce soir ?

live from Wimbledon
en direct de Wimbledon

22. EVENINGS OUT
SORTIR LE SOIR

to go out	sortir
to dance	danser
to go dancing	aller danser
to invite	inviter
to give	donner, offrir
to bring	apporter
to book	réserver
to applaud	applaudir
to accompany	accompagner
to kiss	embrasser
to go/come home	rentrer (chez soi)
together	ensemble
alone	seul

shows   les spectacles

theatre	théâtre
costume	costume
stage	scène
set	décors
wings	coulisses
curtain	rideau
cloakroom	vestiaire
orchestra	orchestre (*musiciens*)
stalls	orchestre (*fauteuils*)
dress circle	balcon
box	loge
gods	poulailler
interval	entracte
programme	programme
play	pièce
comedy	comédie
tragedy	tragédie

opera	opéra
operetta	opérette
ballet	ballet
concert of classical music	concert de musique classique
rock concert	concert de rock
show	spectacle
circus	cirque
fireworks	feux d'artifice
audience	spectateurs
usherette	ouvreuse
actor/actress	acteur (-trice)
dancer	danseur (-euse)
conductor	chef d'orchestre
musician	musicien(ne)
magician	magicien(ne)
clown	clown

the cinema　　　　le cinéma

film	film
cinema	salle de cinéma
ticket office	guichet
showing	séance
ticket	billet
screen	écran
projector	projecteur
cartoon	dessin animé
documentary	film documentaire
historical film	film historique
horror film	film d'horreur
science fiction film	film de science-fiction
western	western
film with subtitles	film en version originale
subtitles	sous-titres
dubbing	doublage
black and white film	film en noir et blanc
director	metteur en scène
film maker	cinéaste

| star | vedette |

discos and dances
les discothèques et les bals

dance	bal
dance hall	dancing
disco(theque)	discothèque
nightclub	boîte (de nuit)
bar	bar
record	disque
dance floor	piste de danse
rock-and-roll	rock
pop group	groupe pop
folk (music)	musique folk
slow number	slow
DJ	disc-jockey
singer	chanteur (-euse)
bouncer	videur

eating out
au restaurant

restaurant	restaurant
pub	café, pub
pizzeria	pizzeria
fast food	fast food

waiter	garçon
waitress	serveuse
head waiter	maître d'hôtel

menu	menu
dish of the day	plat du jour
wine list	carte des vins
bill	addition
tip	pourboire

Chinese restaurant	restaurant chinois
Italian restaurant	restaurant italien
Indian restaurant	restaurant indien

entertaining	**les invitations**
guests	invités
host	hôte
hostess	hôtesse
present	cadeau
drink	boisson
cocktail	cocktail
crisps	chips
peanuts	cacahuètes
party	fête, boum
celebration	fête
birthday	anniversaire
birthday cake	gâteau d'anniversaire
candles	bougies

encore!
bis !

would you like to dance with me?
voulez-vous danser avec moi ?

service included
service compris

Voir aussi chapitre **16 LA NOURRITURE.**

23. MY ROOM
MA CHAMBRE

floor	plancher
(fitted) carpet	moquette
ceiling	plafond
door	porte
window	fenêtre
curtains	rideaux
shutters	volets
blinds	stores
wallpaper	papier peint

furniture   les meubles

bed	lit
bedspread	couvre-lit
bedside table	table de chevet
chest of drawers	commode
dressing table	coiffeuse
wardrobe	penderie, armoire
cupboard	placard
desk	bureau
chair	chaise
stool	tabouret
armchair	fauteuil
shelves	étagères
bookcase	bibliothèque

objects   les objets

lamp	lampe
bedside lamp	lampe de chevet
lampshade	abat-jour
alarm clock	réveil
radio alarm	réveil-radio

rug	tapis
poster	poster, affiche
picture	tableau
photograph	photographie
mirror	miroir
book	livre
magazine	revue
comic	bande dessinée
diary	journal (intime), agenda
game	jeu
toy	jouet

come in	entre

Voir aussi chapitres **15 LA VIE QUOTIDIENNE** *et* **24 LA MAISON.**

24. THE HOUSE
LA MAISON

to live	habiter
to move (house)	déménager
to move in/into	emménager
rent	loyer
mortgage	emprunt-logement
removal	déménagement
tenant	locataire
owner	propriétaire
caretaker	concierge
removal man	déménageur
house	maison
detached house	maison individuelle
semi-detached house	maison jumelée
terraced houses	rangée de maisons contiguës
flat	appartement
council house/flat	habitation à loyer modéré/HLM
block of flats	immeuble
studio flat	studio
furnished flat	meublé

parts of the house — les parties de la maison

basement	sous-sol
ground floor	rez-de-chaussée
first floor	premier
loft	grenier
cellar	cave
room	pièce
attic room	mansarde
floor/storey	étage

landing	palier
stairs	escaliers
step	marche
bannister	rampe
lift	ascenseur
wall	mur
roof	toit
roof tile	tuile
slate	ardoise
chimney	cheminée (*conduit*)
fireplace	cheminée (*âtre*)
door	porte
front door	porte d'entrée
window	fenêtre
bay window	fenêtre en saillie
French window	porte-fenêtre
balcony	balcon
garden	jardin
vegetable garden	jardin potager
patio	patio
garage	garage
upstairs	en haut
downstairs	en bas

the rooms   les pièces

entrance (hall)	entrée
hall	couloir
kitchen	cuisine
dining room	salle à manger
living room	salle de séjour
sitting room	salon
lounge	salon
study	bureau
library	bibliothèque
bedroom	chambre (à coucher)
bathroom	salle de bain
toilet	toilettes, w.c.

loo (*fam.*)	toilettes
utility room	buanderie
veranda	véranda

furniture

les meubles

chair	chaise
armchair	fauteuil
rocking chair	rocking-chair
sofa	canapé
table	table
coffee table	table basse
cupboard	placard
dresser	vaisselier
bookcase	bibliothèque
sideboard	buffet
trolley	table roulante
desk	bureau
shelves	étagères
grandfather clock	pendule
piano	piano
bed	lit
wardrobe	armoire
shower	douche
bath	baignoire
washbasin	lavabo
bidet	bidet
bathroom cabinet	armoire de toilette

objects and fittings

les objets et l'aménagement

aerial	antenne
ashtray	cendrier
bathmat	descente de bain
bathroom mirror	glace
bathroom scales	pèse-personne
bin	poubelle

bolt	verrou
bowl	cuvette
candle	bougie
candlestick	chandelier
(fitted) carpet	moquette
central heating	chauffage central
coat rack	portemanteau
cushion	coussin
doorbell	sonnette
door-handle	poignée
doorknob	bouton de porte
doormat	paillasson
frame	cadre
key	clé
keyhole	serrure
ladder	échelle
lamp	lampe
letter box	boîte à lettres
magazine rack	porte-revues
mirror	miroir
ornament	bibelot
photograph	photo
picture	tableau
poster	poster, affiche
radiator	radiateur
reproduction	reproduction
rug	tapis
sink	évier
standard lamp	lampadaire
tap	robinet
tiling	carrelage
umbrella stand	porte-parapluies
vase	vase
wallpaper	papier peint, tapisserie
wastepaper basket	corbeille à papiers
transistor	transistor
radio	radio
portable television set	téléviseur portable
stereo	chaîne stéréo

tape recorder	magnétophone
cassette recorder	magnétophone à cassettes
radio cassette player	radiocassette
record	disque
cassette	cassette
compact disk	disque compact
typewriter	machine à écrire
computer	ordinateur
video (recorder)	magnétoscope
video cassette	cassette vidéo
video (film)	film vidéo
word-processor	machine à traitement de texte

the garden

le jardin

lawn	pelouse
grass	gazon
weeds	mauvaises herbes
flowerbed	plate-bande
greenhouse	serre
garden furniture	meubles de jardin
deckchair	transat
sunbed	lit de plage
wheelbarrow	brouette
lawnmower	tondeuse à gazon
watering can	arrosoir
hose	tuyau d'arrosage
barbecue	barbecue
garden shed	abri de jardin
path	allée
gate	grille, portail

Voir aussi chapitres **17 LES TRAVAUX MENAGERS** *et* **23 MA CHAMBRE.**

25. THE CITY
LA VILLE

town	ville (*petite, moyenne*)
city	(grande) ville
village	village
suburbs	(proche) banlieue
outskirts	faubourgs, (grande) banlieue
district	quartier
surroundings	environs
area	quartier, région
built-up area	agglomération
industrial estate	zone industrielle
residential district	quartier résidentiel
old town	vieille ville
town/city centre	centre(-ville)
university halls of residence	cité universitaire
housing estate	cité ouvrière
dormitory town	cité dortoir
slums	quartiers pauvres
avenue	avenue
boulevard	boulevard
cul-de-sac	impasse
ring road	périphérique
square	place
embankment	quai
quay	quai
road	route, chaussée
street	rue
shopping street	rue commerçante
pedestrian precinct	rue piétonne
narrow street	petite rue
alleyway	ruelle
roadway	chaussée
pavement	trottoir
car park	parking
parking meter	parcmètre
underground car park	parking souterrain

paving stone	pavé
gutter	caniveau
sewers	égouts

park	parc
public gardens	jardin public
cemetery	cimetière
bridge	pont
harbour	port
airport	aéroport
railway station	gare
stadium	stade

buildings   les édifices

building	bâtiment
block (of flats)	immeuble
public building	édifice public
town hall	hôtel de ville, mairie
Law Courts	Palais de Justice
tourist information office	syndicat d'initiative
post office	(bureau de) poste
library	bibliothèque
police station	poste de police, commissariat, gendarmerie

school	école
barracks	caserne
fire station	caserne des pompiers
prison	prison
factory	usine
hospital	hôpital
community centre	foyer municipal
arts centre	centre culturel
theatre	théâtre
cinema	cinéma
opera (house)	opéra
museum	musée
art gallery	galerie d'art
castle	château
palace	palais

tower	tour
cathedral	cathédrale
church	église, temple
chapel	chapelle
steeple	clocher
synagogue	synagogue
mosque	mosquée
memorial	monument commémoratif
monument	monument
war memorial	monument aux morts
statue	statue
fountain	fontaine

people   les gens

city dwellers	citadins
inhabitant	habitant(e)
passer-by	passant(e)
onlookers	badauds
tourist	touriste
tramp	clochard

Greater London
l'agglomération de Londres

she lives in town
elle habite en ville

we're going (in)to town
nous allons en ville

he commutes from Leicester to London
il fait la navette entre Leicester et Londres pour aller
travailler

Voir aussi chapitres **18 LES ACHATS, 22 SORTIR LE SOIR,
26 LA VOITURE, 41 LES TRANSPORTS EN COMMUN, 45
LES TERMES GEOGRAPHIQUES** *et* **64 LES DIRECTIONS.**

26. CARS
LA VOITURE

to drive	conduire
to start up	démarrer
to slow down	ralentir
to brake	freiner
to accelerate	accélérer
to change gear	changer de vitesse
to stop	s'arrêter
to park	se garer, stationner
to overtake	dépasser, doubler
to do a U-turn	faire demi-tour
to switch on one's lights	allumer ses phares
to switch off one's lights	éteindre ses phares
to flash one's headlights	faire des appels de phares
to cross	traverser
to go through	traverser
to check	vérifier
to give way	céder la priorité/le passage
to have right of way	avoir la priorité
to hoot	klaxonner
to skid	déraper
to break down	tomber en panne
to run out of petrol	tomber en panne d'essence
to fill up	faire le plein
to change a wheel	changer une roue
to tow	remorquer
to repair	réparer
to commit an offence	être en infraction
to keep to the speed limit	respecter la limitation de vitesse
to break the speed limit	enfreindre la limitation de vitesse
to jump a red light	brûler un feu
to ignore a stop sign	brûler un stop

vehicles	**les véhicules**
car	voiture, automobile
automatic	voiture à transmission automatique
second-hand car	voiture d'occasion
old banger	vieux tacot, vieille bagnole
two/four-door car/hatchback	(voiture à) deux/quatre/cinq portes
estate car	break
saloon	berline
racing car	voiture de course
sports car	voiture de sport
car with front-wheel drive	traction avant
car with four-wheel drive	voiture à quatre roues motrices
right-hand drive car	voiture avec conduite à droite
convertible	décapotable
c.c.	cylindrée
make	marque
taxi	taxi
lorry	camion
articulated lorry	semi-remorque
van	camionnette
breakdown lorry	dépanneuse
motorbike	moto
moped	mobylette (R), vélomoteur
scooter	scooter
Dormobile (R)	camping-car
caravan	caravane
trailer	remorque

road users	**les usagers de la route**
motorist	automobiliste

driver	conducteur
reckless driver	chauffard
Sunday driver	chauffeur du dimanche
passenger	passager
taxi driver	chauffeur de taxi
lorry driver	routier, camionneur
motorcyclist	motocycliste, motard
cyclist	cycliste
hitch-hiker	auto-stoppeur
pedestrian	piéton

car parts

les parties de la voiture

accelerator	accélérateur
battery	batterie
body	carrosserie
bonnet	capot
boot	coffre
brakes	freins
bumper	pare-chocs
car radio	autoradio
carburettor	carburateur
chassis	châssis
choke	starter
clutch	embrayage
dashboard	tableau de bord
door	portière
engine	moteur

exhaust	pot d'échappement
fanbelt	courroie de ventilateur
fifth gear	cinquième (vitesse)
first gear	première
fog lamp	phare antibrouillard
fourth gear	quatrième
front/back seat	siège avant/arrière
gear lever	levier de vitesse
gearbox	boîte de vitesses

gears	vitesses
handbrake	frein à main
heating	chauffage
horn	klaxon
hub cap	enjoliveur
ignition	allumage
indicator	clignotant
jack	cric
lights	phares
lock	serrure
(rearview) mirror	rétroviseur
neutral	point mort
number plate	plaque minéralogique
oil/petrol gauge	jauge de niveau d'huile/d'essence
overdrive	cinquième
pedal	pédale
petrol cap	bouchon
petrol tank	réservoir
radiator	radiateur
rear lights	feux arrière
reverse	marche arrière
roof rack	galerie
seat belt	ceinture de sécurité
second gear	seconde
sidelights	feux de position
spare part	pièce de rechange
spare wheel	roue de secours
spark plug	bougie
speedometer	compteur (de vitesse)
steering wheel	volant
suspension	suspension
third gear	troisième
tickover speed	ralenti
transmission	transmission
tyre	pneu
wheel	roue
window	glace
windscreen	pare-brise
windscreen wiper	essuie-glace

wing	aile
petrol	essence
two-star (petrol)	essence ordinaire
four-star (petrol)	super
unleaded petrol	essence sans plomb
fuel	carburant
diesel	diesel
oil	huile
antifreeze	antigel
exhaust fumes	gaz d'échappement

problems   les difficultés

garage	garage
car mechanic	mécanicien
repairs	réparations
petrol station	station-service
petrol pump	pompe à essence
insurance	assurance
insurance policy	police d'assurance
driving licence	permis de conduire
car registration book	carte grise
green card	carte verte (*assurance*)
road tax disc	vignette
Highway Code	code de la route
speed	vitesse
speeding	excès de vitesse
offence	infraction
parking ticket	PV
fine	amende
right of way	priorité
no parking (sign)	(panneau de) stationnement interdit
flat tyre	crevaison, pneu crevé
breakdown	panne
traffic jam	embouteillage
diversion	déviation
roadworks	travaux

black ice	verglas
visibility	visibilité

driving along   les voies de circulation

traffic	circulation
road map	carte routière
road	route
main road	(route) nationale
B road	départementale
motorway	autoroute
motorway bypass	bretelle de contournement
one-way street	rue à sens unique
lane	voie, file
road sign	panneau de signalisation
stop sign	stop
traffic lights	feux
pavement	trottoir
pedestrian crossing	passage clouté
bend	virage
central reservation	terre-plein central
crossroads	carrefour, croisement
junction	embranchement
roundabout	rond-point
toll	péage
service area	aire de services
level crossing	passage à niveau
parking meter	parcmètre

what make is it? – it's a Rover
elle est de quelle marque ? – c'est une Rover

fill her up please
le plein, s'il vous plaît

could you check the tyre pressure/oil level?
pouvez-vous vérifier la pression des pneus/le niveau
d'huile ?

get into third gear!
passe en troisième !

he dipped his headlights/switched to sidelights
il a mis ses phares en code/veilleuse

she was doing 70 miles an hour
elle roulait à 110 (kilomètres) à l'heure

in England, they drive on the left
en Angleterre, on roule à gauche

this car does . . . miles to the gallon
cette voiture fait du . . . litres au cent

fasten your seat belt!
mettez votre ceinture !

he lost his driving licence
on lui a retiré son permis

I sat my driving test on Monday — did you pass?
j'ai passé mon permis de conduire lundi — tu l'as
eu ?

you've gone the wrong way
tu t'es trompé(e) de route

Voir aussi chapitre **51 LES ACCIDENTS.**

27. NATURE
LA NATURE

to grow	pousser, croître
to flower	fleurir
to wither away	fâner
to bark	aboyer
to bleat	bêler
to mew	miauler
to moo	meugler
to neigh	hennir

landscape — le paysage

field	champ
meadow	pré
forest	forêt
wood	bois
clearing	clairière
orchard	verger
moor	lande
marsh	marais
desert	désert
jungle	jungle
swamp	marécage

plants — les plantes

tree	arbre
shrub	arbuste, arbrisseau
bush	buisson
root	racine
trunk	tronc
branch	branche
twig	brindille
shoot	pousse

bud	bourgeon
flower	fleur
blossom	floraison
leaf	feuille
foliage	feuillage
bark	écorce
treetop	cime
pine cone	pomme de pin
pine needles	aiguilles de pin
horse chestnut	marron
acorn	gland
berry	baie
clover	trèfle
(edible) mushroom	champignon (comestible)
toadstool	champignon vénéneux
fern	fougère
grass	herbe
heather	bruyère
holly	houx
ivy	lierre
mistletoe	gui
moss	mousse
reed	roseau
seaweed	algues
vine	vigne
vineyard	vignoble
weeds	mauvaises herbes

trees — les arbres

conifer	conifère
deciduous tree	arbre à feuilles caduques
evergreen	arbre à feuilles persistantes
ash tree	frêne
beech	hêtre
birch	bouleau
cedar	cèdre
chestnut tree	châtaignier

cypress	cyprès
elm	orme
fir tree	sapin
horse chestnut tree	marronnier
maple tree	érable
oak	chêne
pine tree	pin
plane tree	platane
poplar	peuplier
walnut tree	noyer
weeping willow	saule pleureur
yew tree	if

fruit trees   les arbres fruitiers

almond tree	amandier
apple tree	pommier
apricot tree	abricotier
cherry tree	cerisier
fig tree	figuier
lemon tree	citronnier
orange tree	oranger
peach tree	pêcher
pear tree	poirier
plum tree	prunier

flowers   les fleurs

wild flower	fleur sauvage
stem	tige
petal	pétale
pollen	pollen
anemone	anémone
buttercup	bouton d'or
carnation	œillet
chrysanthemum	chrysanthème
cornflower	bleuet
daffodil	jonquille

daisy	marguerite, pâquerette
dandelion	pissenlit
geranium	géranium
hawthorn	aubépine
honeysuckle	chèvrefeuille
hyacinth	jacinthe
iris	iris
jasmine	jasmin
lilac	lilas
lily	lis
lily of the valley	muguet
orchid	orchidée
petunia	pétunia
poppy	coquelicot, pavot
primrose	primevère
rhododendron	rhododendron
rose	rose
snowdrop	perce-neige
sweetpea	pois de senteur
tulip	tulipe
violet	violette

pets les animaux domestiques

cat	chat
dog	chien
bitch	chienne
goldfish	poisson rouge
guinea pig	cochon d'Inde
hamster	hamster
kitten	chaton
puppy	chiot

farm animals	**les animaux de la ferme**
bull	taureau
calf	veau
chick	poussin
cock	coq
cow	vache
donkey	âne
duck	canard
duckling	caneton
ewe	brebis
foal	poulain
goose	oie
hen	poule
horse	cheval
mare	jument
lamb	agneau
mule	mulet
nanny/billy-goat	chèvre, bouc
ox	bœuf
pig	cochon
sow	truie
rabbit	lapin
ram	bélier
sheep	mouton
turkey	dindon

wild animals	**les animaux sauvages**
mammal	mammifère
fish	poisson
reptile	reptile
leg	patte
paw	patte (*bout*)
muzzle	museau
snout	museau, groin
tail	queue

trunk	trompe
claws	griffes
antelope	antilope
bear	ours
beaver	castor
buffalo	buffle
camel	chameau
dolphin	dauphin
dromedary	dromadaire
elephant	éléphant
fieldmouse	mulot
fox	renard
gazelle	gazelle
giraffe	girafe
hare	lièvre
hedgehog	hérisson
hippopotamus	hippopotame
kangaroo	kangourou
koala bear	koala
leopard	léopard
lion(ess)	lion(ne)
monkey	singe
mouse	souris
octopus	pieuvre
rat	rat
seal	phoque
shark	requin
squirrel	écureuil
stag	cerf
doe	biche
tiger	tigre
tortoise	tortue
weasel	belette
whale	baleine
wild boar	sanglier
wolf	loup
zebra	zèbre

reptiles etc

les reptiles, etc.

crocodile	crocodile
alligator	alligator
lizard	lézard
snake	serpent
rattlesnake	serpent à sonnettes
adder	vipère
grass snake	couleuvre
cobra	cobra
boa	boa
frog	grenouille
toad	crapaud

birds

les oiseaux

bird	oiseau
night hunter	oiseau nocturne
bird of prey	oiseau de proie
foot	patte
claws	serres
wing	aile
beak	bec
feather	plume
blackbird	merle
budgerigar (budgie)	perruche
canary	canari
chaffinch	pinson
crow	corbeau
cuckoo	coucou
dove	colombe
eagle	aigle
falcon	faucon
flamingo	flamant rose
heron	héron
kingfisher	martin-pêcheur
lark	alouette

magpie	pie
nightingale	rossignol
ostrich	autruche
owl	chouette, hibou
parrot	perroquet
peacock	paon
penguin	pingouin
pheasant	faisan
pigeon	pigeon
robin	rouge-gorge
seagull	mouette
sparrow	moineau
starling	étourneau
stork	cigogne
swallow	hirondelle
swan	cygne
(blue) tit	mésange
vulture	vautour

insects etc

les insectes, etc.

ant	fourmi
bee	abeille
bumblebee	bourdon
butterfly	papillon
caterpillar	chenille
cockroach	cafard
flea	puce
fly	mouche
grasshopper	sauterelle
ladybird	coccinelle
mosquito	moustique
spider	araignée
wasp	guêpe

Voir aussi chapitres **44 AU BORD DE LA MER** *et* **45 LES TERMES GEOGRAPHIQUES.**

28. WHAT'S THE WEATHER LIKE ?
QUEL TEMPS FAIT-IL ?

to rain	pleuvoir
to snow	neiger
to be freezing	geler
to blow	souffler
to shine	briller
to melt	fondre
to get worse	empirer
to improve	s'améliorer
to change	changer
overcast	couvert
cloudy	nuageux
clear	dégagé
sunny	ensoleillé
stormy	orageux
muggy	lourd
dry	sec
warm	chaud, bon
hot	chaud
cold	froid
mild	doux
pleasant	agréable
awful	épouvantable
changeable	variable
damp	humide
rainy	pluvieux
in the sun	au soleil
in the shade	à l'ombre
weather	temps
temperature	température
meteorology	météo(rologie)
weather forecast	prévisions météorologiques
climate	climat
atmosphere	atmosphère
atmospheric pressure	pression atmosphérique

improvement	amélioration
thermometer	thermomètre
degree	degré
barometer	baromètre
sky	ciel

rain   la pluie

raindrop	goutte de pluie
downpour	pluie torrentielle
shower	averse
sudden (short) shower	giboulée
hail	grêle
hailstone	grêlon
cloud	nuage
cloud layer	couche de nuages
dew	rosée
drizzle	crachin
fog	brouillard
mist	brume
puddle	flaque d'eau
flood	inondation
thunderstorm	orage
thunder	tonnerre
lightning	foudre
(flash of) lightning	éclair
sunny interval	éclaircie
rainbow	arc-en-ciel
humidity	humidité

cold weather   le froid

snow	neige
snowflake	flocon de neige
snowfall	chute de neige
snowstorm	tempête de neige
avalanche	avalanche
snowball	boule de neige

snowplough	chasse-neige
snowman	bonhomme de neige
frost	gelée, gel
thaw	dégel
(hoar)frost	givre
(black) ice	verglas
ice	glace

good weather   le beau temps

sun	soleil
ray of sunshine	rayon de soleil
heat	chaleur
heatwave	vague de chaleur
scorching heat	canicule
drought	sécheresse

wind   le vent

wind	vent
draught	courant d'air
gust of wind	rafale
North wind	bise
breeze	brise
hurricane	ouragan
tornado	tornade
storm	tempête

the weather is good/bad
il fait beau/mauvais (temps)

it is 86° F (degrees Fahrenheit) in the shade
il fait trente degrés à l'ombre

it is minus 4
il fait moins 20

it's raining
il pleut

it's pouring
il pleut à verse

it's snowing
il neige

it's sunny/foggy/icy
il y a du soleil/brouillard/verglas

I'm freezing cold
je gèle

I'm sweltering
je crève de chaud

the wind's blowing/ it's windy
le vent souffle/ il fait du vent

the sun's shining
le soleil brille

it's thundering
le tonnerre gronde

the weather is dreadful
il fait un temps épouvantable

29. FAMILY AND FRIENDS
LA FAMILLE ET LES AMIS

the family	la famille
parents	parents (*mère, père*)
mother	mère
father	père
mum	maman
dad	papa
child	enfant
baby	bébé
daughter	fille
son	fils
adopted daughter	fille adoptive
adopted son	fils adoptif
sister	sœur
twin sister	sœur jumelle
brother	frère
twin brother	frère jumeau
grandmother	grand-mère
grandfather	grand-père
grandparents	grands-parents
grandchildren	petits-enfants
granddaughter	petite-fille
grandson	petit-fils
great-grandmother	arrière-grand-mère
great-grandfather	arrière-grand-père
wife	femme, épouse
husband	mari, époux
fiancée	fiancée
fiancé	fiancé
stepmother	belle-mère (*2ème épouse du père*)
stepfather	beau-père (*2ème époux de la mère*)

stepdaughter	belle-fille (*fille du conjoint*)
stepson	beau-fils (*fils du conjoint*)
mother-in-law	belle-mère
father-in-law	beau-père
daughter-in-law	belle-fille
son-in-law	gendre
aunt	tante
uncle	oncle
cousin	cousin(e)
niece	nièce
nephew	neveu
godmother	marraine
godfather	parrain
goddaughter	filleule
godson	filleul

friends — les amis

friend	ami(e), copain/copine
boyfriend	(petit) ami
girlfriend	(petite) amie
neighbour	voisin(e)

have you got any brothers and sisters?
as-tu des frères et sœurs ?

I have no brothers or sisters
je n'ai ni frère ni sœur

I'm an only child
je suis enfant unique

my mother is expecting a baby
ma mère attend un bébé

I am the oldest
je suis l'aîné(e)

my big brother is 17
mon grand frère a 17 ans

my eldest sister is a hairdresser
ma sœur aînée est coiffeuse

I'm looking after my little sister
je garde ma petite sœur

my youngest brother sucks his thumb
mon frère cadet suce son pouce

you are my best friend, Paul
tu es mon meilleur ami, Paul

Patricia is my best friend
Patricia est ma meilleure amie

Voir aussi chapitre **8 L'IDENTITE.**

30. SCHOOL AND EDUCATION
L'ECOLE ET L'EDUCATION

to go to school	aller à l'école
to study	étudier
to learn	apprendre
to learn by heart	apprendre par cœur
to do one's homework	faire ses devoirs
to recite a poem	réciter un poème
to ask	demander
to answer	répondre
to go to the blackboard	passer au tableau
to know	savoir
to get the pass mark	avoir la moyenne
to revise	réviser
to sit an exam	passer un examen
to pass one's exams	réussir ses examens
to fail one's exams	rater ses examens
to fail an exam	échouer à un examen
to repeat a year	redoubler (une classe)
to expel	renvoyer
to suspend	renvoyer provisoirement
to punish	punir
to play truant	faire l'école buissonnière
to skive	sécher (*un cours*)
absent	absent
brilliant	brillant
clever	intelligent
gifted	doué
hard-working	appliqué
inattentive	distrait
present	présent
studious	studieux
undisciplined	dissipé
nursery school	école maternelle
primary school	école primaire
secondary school	collège, lycée

comprehensive (school)	école polyvalente
private school, public school	école privée
college	établissement d'enseignement supérieur
technical college	collège technique
college of further education	établissement de formation continue
boarding school	internat
university	université
polytechnic	IUT (*équivalent*)

at school   à l'école

class	classe, cours
classroom	salle de classe
headteacher's office	bureau du directeur/de la directrice
library	bibliothèque
laboratory	laboratoire
language lab	laboratoire de langues
dining hall	cantine
playground	cour de récréation
gym(nasium)	gymnase

the classroom   la salle de classe

desk	pupitre
teacher's desk	bureau du professeur
table	table
chair	chaise
locker	casier
cupboard	placard
blackboard	tableau
chalk	craie
duster	chiffon
sponge	éponge
school-bag	cartable
exercise book	cahier

book	livre
dictionary	dictionnaire
pencil case	trousse
ballpoint (pen)	stylo-bille
biro (R)	bic (R), stylo-bille
(fountain) pen	stylo (à encre)
(lead) pencil	crayon de papier
felt-tip (pen)	feutre
pencil sharpener	taille-crayon
rubber	gomme
paint brush	pinceau
(tube of) paint	(tube de) peinture
painting	peinture
drawing paper	papier à dessin
easel	chevalet
ruler	règle
compass	compas
set-square	équerre
pocket calculator	calculette
computer	ordinateur

gym   la gymnastique

rings	anneaux
rope	corde
parallel bars	barres parallèles
horse	cheval d'arçon
trampoline	trampoline

teachers and pupils   les enseignants et les élèves

primary school teacher	instituteur (-trice)
teacher	maître (-tresse), prof(esseur)
headmistress	directrice, proviseur
headmaster	directeur, proviseur
headteacher	directeur (-trice), proviseur

French teacher	professeur de français
English teacher	professeur d'anglais
maths teacher	professeur de mathématiques
inspector	inspecteur
pupil	élève
schoolboy/girl	élève
secondary school pupil	collégien, lycéen
student	étudiant
boarder	interne
day-pupil	externe
dunce	cancre
good pupil	bon élève
bad pupil	mauvais élève
schoolfriend	camarade de classe

teaching — l'enseignement

term	trimestre
timetable	emploi du temps
subject	matière
lesson	leçon
class	cours, classe
course	cours (*série*)
French class	cours de français
maths class	cours de maths
vocabulary	vocabulaire
grammar	grammaire
grammatical rule	règle de grammaire
conjugation	conjugaison
spelling	orthographe
writing	écriture
reading	lecture
poem	poème
sums	calcul
maths	maths
algebra	algèbre
arithmetic	arithmétique

geometry	géométrie
addition	addition
subtraction	soustraction
multiplication	multiplication
division	division
equation	équation
circle	cercle
triangle	triangle
square	carré
rectangle	rectangle
angle	angle
right angle	angle droit
surface	superficie
volume	volume
cube	cube
diameter	diamètre
history	histoire
geography	géographie
science	sciences naturelles
biology	biologie
chemistry	chimie
physics	physique
languages	langues
philosophy	philosophie
essay	rédaction
translation	traduction
unseen	version (*sans documents*)
prose	thème
music	musique
drawing	dessin
handicrafts	travaux manuels
physical education, PE	éducation physique
homework	devoirs
exercise	exercice
problem	problème
question	question
answer	réponse
test	interrogation

written test	interrogation écrite
oral test	interrogation orale
essay	composition
exam(ination)	examen
mistake	faute
good mark	bonne note
bad mark	mauvaise note
result	résultat
pass mark	moyenne
report	livret scolaire
prize	prix
certificate	certificat
diploma	diplôme
GCSE	baccalauréat (*équivalent*)
A level	baccalauréat (*équivalent*)
discipline	discipline
punishment	punition
detention	retenue
break	récréation
bell	cloche
school holidays	vacances scolaires
Christmas holidays	vacances de Noël
Easter holidays	vacances de Pâques
beginning of school year	rentrée des classes

to give a pupil detention
coller un(e) élève

the bell has gone
la cloche a sonné

we had a test on English grammar
on a été interrogé sur la grammaire anglaise

31. MONEY
L'ARGENT

to buy	acheter
to sell	vendre
to spend	dépenser
to borrow (from)	emprunter (à)
to lend (to)	prêter (à)
to pay	payer
to pay cash	payer comptant
to pay by cheque	payer par chèque
to pay by instalments	payer par mensualités
to pay back	rembourser (*rendre*)
to reimburse	rembourser
to change	changer
to buy on credit	acheter à crédit
to give credit	faire crédit
to withdraw money	retirer de l'argent
to pay in money	verser de l'argent
to save money	faire des économies
to do one's accounts	faire ses comptes
to be in the red	être à découvert
rich	riche
poor	pauvre
broke	fauché
millionaire	millionnaire
money	argent
pocket money	argent de poche
cash	argent liquide
(bank)note	billet (de banque)
purse	porte-monnaie
wallet	portefeuille
savings	économies
bank	banque
savings bank	caisse d'épargne
foreign exchange office	bureau de change
exchange rate	taux de change

till	caisse (enregistreuse)
cashdesk	caisse (*magasin, restaurant*)
cashier's desk	caisse (*banque*)
counter	guichet (*banque*)
cash dispenser	distributeur automatique de billets
bank account	compte en banque
current account	compte courant
Giro account	compte de chèque postal
savings account	compte d'épargne
deposit account	compte de dépôts
withdrawal	retrait
transfer	virement
bank manager	directeur de banque
bank clerk	employé(e) de banque
bankbook	livret de banque
credit card	carte de crédit
cheque card	carte d'identité bancaire
cheque	chèque
chequebook	carnet de chèques
traveller's cheque	chèque de voyage
Eurocheque	eurochèque
form	formulaire
postal order	mandat postal
credit	crédit
debts	dettes
loan	prêt, emprunt
mortgage	emprunt-logement
change	(petite) monnaie
currency	monnaie (*d'un pays*)
Stock Exchange	Bourse
share	action
inflation	inflation
cost of living	coût de la vie
budget	budget
French franc	franc français
Belgian franc	franc belge

Swiss franc	franc suisse
pound sterling	livre sterling
pence	pence (*centième d'une livre*)
dollar	dollar

a 10 pound note
un billet de 10 livres

I'd like to change 500 French francs into pounds
j'aimerais changer 500 francs français en livres

what is the exchange rate for the French franc?
quel est le cours du franc français ?

I'd like to pay by credit card
j'aimerais payer avec ma carte de crédit

do you take traveller's cheques?
acceptez-vous les chèques de voyage ?

I'm saving up to buy a motorbike
je fais des économies pour m'acheter une moto

I have an overdraft of £50 (fifty pounds)
j'ai un découvert de 50 livres

I get £5 (five pounds) pocket money per week
je reçois 5 livres d'argent de poche par semaine

I owe him £20 (twenty pounds)
je lui dois 20 livres

I borrowed 2,000 francs from my father
j'ai emprunté 2 000 francs à mon père

I find it hard to make ends meet
j'ai de la peine à joindre les deux bouts

Voir aussi chapitres **10 LE TRAVAIL** *et* **18 LES ACHATS.**

32. TOPICAL ISSUES
LES SUJETS D'ACTUALITE

to discuss	discuter (de)
to argue	se disputer
to criticize	critiquer
to defend	défendre
to think	penser
to believe	croire
to protest	protester
for	pour
against	contre
in favour of	favorable à
opposed to	opposé à
intolerant	intolérant
broad-minded	large d'esprit
problem	problème
argument	argument
demonstration	manifestation
society	société
prejudice	préjugés
morals	morale
mentality	mentalité
disarmament	désarmement
nuclear energy	énergie nucléaire
nuclear bomb	bombe atomique
peace	paix
war	guerre
acid rain	pluie acide
environment	environnement
greenhouse effect	effet de serre
ozone layer	couche d'ozone
poverty	pauvreté
destitution	misère
unemployment	chômage

violence	violence
criminality	criminalité
contraception	contraception
abortion	avortement
euthanasia	euthanasie
homosexuality	homosexualité
gay man	homosexuel
lesbian	lesbienne
AIDS	SIDA
sexism	sexisme
male chauvinist	macho
women's liberation	libération de la femme
feminism	féminisme
equality	égalité
prostitution	prostitution
racism	racisme
black (person)	noir
foreigner	étranger
life style	mode de vie
immigrant	immigré
political refugee	réfugié politique
political asylum	asile politique
alcohol	alcool
alcoholic	alcoolique
drugs	drogue, stupéfiants
needle	seringue
overdose	overdose
addiction	dépendance
hashish	hachisch
cocaine	cocaïne
drug trafficking	trafic de drogue
dealer	trafiquant

I agree with you
je suis d'accord avec toi

she takes heroin
elle se drogue à l'héroïne

33. POLITICS
LA POLITIQUE

to govern	gouverner
to rule	régner, gouverner
to reign	régner
to organize	organiser
to demonstrate	manifester
to go to the polls	aller aux urnes
to elect	élire
to vote for/against	voter pour/contre
to repress	réprimer
to abolish	abolir
to do away with	supprimer
to impose	imposer
to nationalize	nationaliser
to privatize	privatiser
national	national
nationalist	nationaliste
international	international
political	politique
democratic	démocratique
democrat	démocrate
conservative	conservateur
liberal	libéral
labour	travailliste
socialist	socialiste
communist	communiste
Marxist	marxiste
fascist	fasciste
anarchist	anarchiste
capitalist	capitaliste
extremist	extrêmiste
green	vert
right wing	de droite
left wing	de gauche

nation	nation
country	pays
state	état
republic	république
monarchy	monarchie
native land	patrie
government	gouvernement
parliament	parlement
House of Lords	Chambre des Lords
House of Commons	Chambre des Communes
Cabinet	conseil des ministres
constitution	constitution
Head of State	chef de l'Etat/d'Etat
president	président
vice-president (*E.-U.*)	vice-président
Prime Minister	Premier ministre
Chancellor of the Exchequer	ministre des Finances en Grande-Bretagne
Lord Chancellor	ministre de la Justice en Grande-Bretagne
minister	ministre
Foreign Secretary	ministre des Affaires étrangères
Home Secretary	ministre de l'Intérieur
MP (Member of Parliament)	député
senator	sénateur
politician	homme/femme politique
politics	politique
elections	élections
political party	parti politique
right	droite
left	gauche
(right to) vote	droit de vote
constituency	circonscription
by-election	élection (législative) partielle
primary (*E.-U.*)	primaire
ballot box	urne
candidate	candidat

election campaign	campagne électorale
first/second ballot	premier/second tour
opinion poll	sondage d'opinion
citizen	citoyen
negotiations	négociations
debate	débat
law	loi
crisis	crise
demonstration	manifestation
coup	coup d'Etat
revolution	révolution
human rights	droits de l'homme
dictatorship	dictature
ideology	idéologie
democracy	démocratie
socialism	socialisme
communism	communisme
fascism	fascisme
capitalism	capitalisme
pacifism	pacifisme
neutrality	neutralité
unity	unité
freedom	liberté -
public opinion	opinion publique
nobility	noblesse
aristocracy	aristocratie
middle classes	bourgeoisie
working class	classe ouvrière
the people	le peuple
king	roi
queen	reine
prince(ss)	prince(sse)
UN	ONU
United Nations	Nations Unies
EEC	CEE
European Community	Communauté européenne
Common Market	Marché commun

34. COMMUNICATING
COMMUNICATING

to say	dire
to tell	dire, raconter
to talk	parler
to speak	parler
to repeat	répéter
to add	ajouter
to declare	déclarer
to state	déclarer, affirmer
to make a statement	faire une déclaration
to announce	annoncer
to express	exprimer
to insist	insister
to claim	prétendre
to suppose	supposer
to doubt	douter
to converse with	s'entretenir avec
to inform	renseigner, informer
to indicate	indiquer
to mention	mentionner
to promise	promettre
to shout	crier
to yell	hurler
to shriek	hurler (*d'une voix aiguë*)
to whisper	chuchoter
to murmur	murmurer
to mumble	marmonner
to stammer	bégayer, bredouiller
to get worked up	s'énerver
to reply	répondre
to retort	répliquer
to argue	argumenter
to persuade	persuader
to convince	convaincre
to influence	influencer
to approve (of)	approuver

to contradict	contredire
to contest	contester
to object	objecter
to refute	réfuter
to exaggerate	exagérer
to emphasize	mettre l'accent sur
to predict	prédire
to confirm	confirmer
to apologize	s'excuser
to pretend	feindre, prétendre, faire semblant
to deceive	tromper
to flatter	flatter
to criticize	critiquer
to slander	calomnier
to deny	nier
to admit	admettre, reconnaître
to confess	avouer, admettre, confesser
to recognize	reconnaître
convinced	convaincu
convincing	convaincant
conversation	conversation
discussion	discussion, entretien
dialogue	dialogue
interview	entretien, interview
monologue	monologue
speech	discours
lecture	conférence
debate	débat
conference	congrès
statement	déclaration
word	mot, parole
speech	parole (*faculté d'expression*)
gossip	commérages
opinion	opinion
point of view	point de vue
argument	argument
misunderstanding	malentendu
agreement	accord

disagreement	désaccord
allusion	allusion, mention
hint	insinuation, allusion
criticism	critique
objection	objection
confession	aveu
microphone	micro(phone)
megaphone	porte-voix
about	au sujet de
frankly	franchement
generally	généralement
naturally	naturellement
of course	bien sûr
absolutely	absolument
really	vraiment
entirely	entièrement, tout à fait
undoubtedly	sans doute
maybe	peut-être
but	mais
however	cependant
or	ou
and	et
because	parce que
therefore	donc
thanks to	grâce à
in case	au cas où
despite	malgré
except	à part, sauf
without	sans
with	avec
presque	almost

is it?/do they? etc.
ah bon ?

don't you think?, isn't it?, isn't he? etc.
n'est-ce pas ?

Voir aussi chapitres **32 LES SUJETS D'ACTUALITE** *et* **36 LE TELEPHONE.**

35. LETTER WRITING
LA CORRESPONDANCE

to write	écrire
to scribble	griffonner
to jot down	noter
to describe	décrire
to type	taper (à la machine)
to sign	signer
to send	envoyer
to dispatch	expédier
to seal	cacheter
to put a stamp on	mettre un timbre (sur)
to frank	affranchir
to weigh	peser
to post	poster, mettre à la poste
to send back	renvoyer
to forward	faire suivre
to contain	contenir
to correspond with	correspondre avec
to receive	recevoir
to reply	répondre
legible	lisible
illegible	illisible
by airmail	par avion
by express post	par exprès
by registered mail	(en) recommandé
enc. (enclosures)	P.J. (pièces jointes)
letter	lettre
mail	courrier
writing paper	papier à lettres
date	date
signature	signature
envelope	enveloppe
address	adresse
addressee	destinataire

sender	expéditeur
postcode	code postal
stamp	timbre
letter box	boîte à lettres
collection	levée
post office	bureau de poste
counter	guichet
postage	tarif postal
first class	tarif normal
second class	tarif réduit
letter scales	pèse-lettre
franking machine	machine à affranchir
poste restante	poste restante
parcel	colis, paquet
telegram	télégramme
fax	télécopie
postcard	carte postale
acknowledgement of receipt	accusé de réception
form	formulaire
postal order	mandat
contents	contenu
postman	facteur
penfriend	correspondant(e)
handwriting	écriture
draft	brouillon
biro (R), ballpoint (pen)	stylo-bille, bic (R)
pencil	crayon
(fountain) pen	stylo (à encre)
typewriter	machine à écrire
word-processor	machine à traitement de texte
note	note
text	texte
paragraph	paragraphe
sentence	phrase
line	ligne
word	mot
style	style

continuation	suite
quotation	citation
title	titre
margin	marge
birthday card	carte d'anniversaire
announcement	faire-part
love letter	lettre d'amour
complaint	réclamation

Dear Sir/Madam
Monsieur/Madame

Dear Paul/Caroline
Cher Paul/Chère Caroline

Please find enclosed
Veuillez trouver ci-joint

Yours sincerely
Je vous prie d'agréer, Monsieur/Madame, l'expression
de mes sentiments les meilleurs

Kind regards
Bien amicalement

love
amitiés

lots of love
grosses bises

I'd like three 19 pence stamps
je voudrais trois timbres à 19 pence

'please forward'
"prière de faire suivre"

36. THE PHONE
LE TELEPHONE

to call	appeler
to phone	téléphoner (à)
to ring	téléphoner (à), sonner
to make a phone call	donner un coup de téléphone/fil
to lift the receiver	décrocher
to dial	composer
to dial a wrong number	se tromper de numéro
to hang up	raccrocher
to call back	rappeler
to answer	répondre
(tele)phone	téléphone
receiver	récepteur
earpiece	écouteur
dialling tone	tonalité
dial	cadran
phone book	annuaire téléphonique
yellow pages	pages jaunes
phone box	cabine téléphonique
phonecard	carte de téléphone
token	jeton
long-distance call	communication interurbaine
local call	communication locale
dialling code	indicatif
number	numéro
wrong number	faux numéro
enquiries	renseignements
emergency	urgence
operator	opératrice
engaged	occupé
out of order	en dérangement

he phoned his mother
il a téléphoné à sa mère

the phone's ringing
ça sonne

who's speaking?
qui est à l'appareil ?

it's Peter speaking
Peter à l'appareil

hello, this is Peter speaking
allô ! ici Peter

I'd like to speak to Martin
j'aimerais parler à Martin

speaking
lui-même/elle-même

hold on
ne quittez pas

it's engaged
c'est occupé

I'm sorry, he's not in
je regrette, il n'est pas là

would you like to leave a message?
voulez-vous laisser un message ?

who's calling?
c'est de la part de qui ?

sorry, I've got the wrong number
excusez-moi, je me suis trompé(e) de numéro

my number is two two four zero one six
voici mon numéro : vingt-deux, quarante, seize

37. GREETINGS AND POLITE PHRASES
LES SALUTATIONS ET LES FORMULES DE POLITESSE

to greet	saluer
to introduce	présenter
to express	exprimer, présenter, manifester
to thank	remercier
to wish	souhaiter
to congratulate	féliciter
to apologize	s'excuser
hello	bonjour
good morning	bonjour (*matin*)
good afternoon	bonjour (*après-midi*)
hi!	salut ! (*bonjour*)
bye!, cheerio!	salut ! (*au revoir*)
goodbye	au revoir
good evening	bonsoir
good night	bonne nuit
pleased to meet you	enchanté
how are you?	comment vas-tu/allez-vous ?
how are things?	comment ça va ?
see you soon	à bientôt
see you later	à toute à l'heure
see you tomorrow	à demain
have a good day!	bonne journée !
enjoy your meal!	bon appétit !
good luck!	bonne chance !
have a good trip!	bon voyage !
safe journey!	bonne route !
welcome!	bienvenue
sorry!	pardon !
sorry?	pardon ?

| I'm sorry | excuse-moi |
| watch out! | attention ! |

yes	oui
no	non
no thanks	non merci
(yes) please	(oui) s'il vous plaît
please	s'il vous plaît
thank you	merci
thank you very much	merci beaucoup
not at all	je t'en/vous en prie
cheers!	à ta/votre santé
bless you	à tes/vos souhaits
OK	d'accord
so much the better	tant mieux
too bad	tant pis
never mind	ça ne fait rien

festivities les festivités

Merry Christmas!	Joyeux Noël !
Happy New Year!	Bonne Année !
Best Wishes!	Meilleurs Vœux !
Happy Easter!	Joyeuses Pâques !
Happy Birthday!	Bon Anniversaire !
Congratulations!	Félicitations !

may I introduce Angela Barker?
je vous présente Angela Barker

please accept my best wishes
je vous présente mes meilleurs vœux

please accept my sympathy
je vous présente mes condoléances

may I wish you a happy birthday
je vous souhaite un bon anniversaire

I don't mind
ça m'est égal

it's a pleasure, you're welcome
de rien/il n'y a pas de quoi

it depends
ça dépend

I'm sorry
je regrette

I'm terribly sorry
je suis vraiment désolé(e)

I'm sorry to bother you
excusez-moi de vous déranger

do you mind if I smoke?
ça vous dérange si je fume ?

excuse me please, could you tell me ...?
pardon, Monsieur/Madame, pouvez-vous me dire ... ?

what a pity
c'est dommage

38. PLANNING A HOLIDAY AND CUSTOMS FORMALITIES
PREPARER SES VACANCES – LA DOUANE

to go on holiday	partir en vacances
to book	réserver
to rent	louer
to confirm	confirmer
to cancel	annuler
to get information (about)	se renseigner (sur)
to gather information (about)	se documenter (sur)
to pack	faire ses bagages
to pack one's suitcases	faire ses valises
to make out a list	faire une liste
to take	emporter
to forget	oublier
to take out insurance	contracter une assurance
renew one's passport	renouveler son passeport
to get vaccinated	se faire vacciner
to search	fouiller
to declare	déclarer
to smuggle	passer en fraude
to check	contrôler
holidays	vacances
travel agent's	agence de voyages
tourist information centre	syndicat d'initiative
brochure	brochure
leaflet	dépliant
package tour	voyage organisé
guide(book)	guide
itinerary	itinéraire, programme
booking	réservation
deposit	arrhes, caution

list	liste
luggage	bagages
suitcase	valise
travel bag	sac de voyage
rucksack	sac à dos
label	étiquette
toilet bag	trousse de toilette
passport	passeport
identity card	carte d'identité
visa	visa
ticket	billet
traveller's cheques	chèques de voyage
travel insurance	assurance-voyage
customs	douane
customs officer	douanier
border	frontière
in advance	à l'avance

nothing to declare
rien à déclarer

should we confirm our booking in writing?
devons-nous confirmer notre réservation par écrit ?

I'm really looking forward to going on holiday
j'ai vraiment hâte de partir en vacances

Voir aussi chapitres **39 LES CHEMINS DE FER, 40 L'AVION, 41 LES TRANSPORTS EN COMMUN** *et* **42 A L'HOTEL.**

39. RAILWAYS
LES CHEMINS DE FER

to reserve	réserver
to book	réserver
to change	changer
to punch	composter
to get off	descendre
to get on/in	monter
to be late	avoir du retard
to be derailed	dérailler
on time	à l'heure
late	en retard
reserved	réservé
taken	occupé (*place*)
engaged	occupé (*toilettes*)
free	libre
smoker	fumeurs (*compartiment*)
non-smoker	non-fumeurs (*compartiment*)

the station   la gare

British Rail	chemins de fer britanniques
railways	chemins de fer
ticket office	guichet
ticket vending machine	distributeur de billets
information	renseignements
indicator board	panneau d'information
waiting room	salle d'attente
station buffet	buffet de la gare
left luggage	consigne
left luggage lockers	consigne automatique
luggage trolley	chariot
luggage	bagages
lost property office	bureau des objets trouvés

stationmaster	chef de gare
guard	chef de train
ticket collector	contrôleur
railwayman	cheminot
passenger	voyageur (-euse)

the train

le train

freight train	train de marchandises
through train	train direct
express/Intercity train	train rapide
fast train	express
motorail train	train auto-couchettes
electric train	train électrique
diesel train	autorail
Trans-Europe-Express train	TEE
high-speed train	TGV

locomotive	locomotive
engine	locomotive
steam engine	locomotive à vapeur
dining car	wagon-restaurant
coach	wagon, voiture
carriage	voiture
sleeper	wagon-lit
front of the train	tête du train
rear of the train	queue du train
luggage van	fourgon à bagages
compartment	compartiment
couchette	couchette
toilet	toilettes
door	portière
window	fenêtre
seat	place
luggage rack	porte-bagages
alarm	signal d'alarme

the journey   le trajet

platform	quai
tracks	rails
track	voie ferrée
line	ligne
network	réseau
level crossing	passage à niveau
tunnel	tunnel
Channel Tunnel	le tunnel sous la Manche
stop	arrêt
arrival	arrivée
departure	départ
connection	correspondance

tickets   les billets

half(-price ticket)	billet demi-tarif
reduced rate	tarif réduit
adult	adulte
single (ticket)	aller simple
return (ticket)	aller-retour
class	classe
first class	première (classe)
second class	seconde (classe)
railcard	carte de chemin de fer
reservation	réservation
timetable	horaire
public holidays	jours fériés
weekdays	jours ouvrables

I went to Paris by train/I took the train to Paris
je suis allé(e) à Paris en train/j'ai pris le train pour Paris

a single/return to York, please
un aller simple/aller-retour pour York, s'il vous plaît

when is the next/last train for Edinburgh?
à quelle heure part le prochain/dernier train pour
Edimbourg ?

the train arriving from London is 20 minutes late
le train en provenance de Londres a vingt minutes de
retard

the train to Glasgow
le train à destination de Glasgow

the Birmingham train
le train pour/de Birmingham

do I have to change?
dois-je changer de train ?

change at Crewe
il faut changer à Crewe

is this seat taken?
cette place est-elle prise ?

'tickets please'
"vos billets, s'il vous plaît"

I nearly missed my train
j'ai failli manquer mon train

we'll have to run to catch the connection
il faudra courir pour attraper notre correspondance

he came and picked me up at the station
il est venu me chercher à la gare

she took me to the station
elle m'a accompagné(e) à la gare

have a good journey!
bon voyage !

40. FLYING
L'AVION

to check in	enregistrer ses bagages
to take off	décoller
to fly	voyager/aller en avion, voler
to land	atterrir
to stop over	faire escale

at the airport — à l'aéroport

runway	piste
airline	compagnie aérienne
information	informations
check-in	enregistrement des bagages
hand luggage	bagages à main
duty-free shop	boutique hors taxes
boarding	embarquement
departure lounge	salle d'embarquement
boarding pass	carte d'embarquement
gate	porte
baggage claim	retrait des bagages
air terminal	aérogare

on board — à bord

plane	avion
supersonic plane	avion supersonique
jet	jet
jumbo jet	jumbo-jet
charter flight/plane	charter
wing	aile
propeller	hélice
window	hublot
seat belt	ceinture

emergency exit	issue/sortie de secours
seat	place
flight	vol
direct flight	vol direct
domestic flight	vol intérieur
international flight	vol international
altitude	altitude
speed	vitesse
departure	départ
take-off	décollage
arrival	arrivée
landing	atterrissage
emergency landing	atterrissage forcé
stop-over	escale
delay	retard
crew	équipage
pilot	pilote
stewardess	hôtesse de l'air
steward	steward
passenger	passager
hijacker	pirate de l'air
cancelled	annulé
delayed	en retard

would you like smoking or non-smoking?
voulez-vous une place fumeurs ou non-fumeurs ?

I'd like a non-smoking seat
j'aimerais une place non-fumeurs

'now boarding at gate number 17'
"embarquement immédiat, porte numéro 17"

'fasten your seat belt'
"attachez vos ceintures"

41. PUBLIC TRANSPORT
LES TRANSPORTS EN COMMUN

to get off	descendre
to get on	monter
to wait (for)	attendre
to arrive	arriver
to change	changer
to stop	s'arrêter
to hurry	se dépêcher
to miss	manquer
to dodge the fare	resquiller
to produce one's ticket	présenter son billet
bus	bus, autobus
coach	car, autocar
underground	métro
tube	métro à Londres
local train	train de banlieue
taxi	taxi
driver	conducteur
ticket collector	contrôleur (*train*)
conductor	contrôleur (*bus*)
passenger	passager
fare dodger	resquilleur
commuter	personne qui fait la navette pour se rendre au travail
bus station	gare routière
tube/underground station	station de métro
bus shelter	abribus
bus stop	arrêt de bus
booking office	guichet
ticket machine	distributeur de billets
waiting room	salle d'attente
enquiries	renseignements
exit	sortie
network	réseau
line	ligne

platform	quai
departure	départ
direction	direction
arrival	arrivée
back	arrière
front	avant
seat	place
ticket	billet
fare	prix du billet
book of tickets	carnet de billets
season ticket	carte d'abonnement
adult	adulte
child	enfant
first class	première
second class	seconde
reduction	réduction
excess fare	supplément
off-peak hours	heures creuses
rush hour	heures de pointe

I go to school by bus
je vais à l'école en bus

what bus will take me to the British Museum?
quel bus puis-je prendre pour aller au British
Museum ?

where is the nearest underground station?
où se trouve la station de métro la plus proche ?

Voir aussi chapitre 39 LES CHEMINS DE FER.

42. AT THE HOTEL
A L'HOTEL

no vacancies	complet
closed	fermé
included	compris
hotel	hôtel
guest house	pension
booking	réservation
reception	réception
full board	pension complète
half board	demi-pension
price per day	prix par jour
service	service
tip	pourboire
bill	note, addition
complaint	réclamation
restaurant	restaurant
dining room	salle à manger
lounge	salon
bar	bar
car park	parking
lift	ascenseur
breakfast	petit déjeuner
continental breakfast	petit déjeuner à la française
full English breakfast	petit déjeuner anglais
lunch	déjeuner
dinner	dîner
evening meal	dîner
manager	directeur, gérant
receptionist	réceptionniste
night porter	gardien de nuit
chambermaid	femme de chambre

the room	la chambre

room	chambre
single room	chambre pour une personne
double room	chambre pour deux personnes
twin room	chambre à deux lits
bed	lit
double bed	grand lit
single bed	lit d'une personne
cot	lit d'enfant
bathroom	salle de bain
shower	douche
washbasin	lavabo
hot water	eau chaude
toilet	toilettes, W.-C.
air conditioning	climatisation
emergency exit	sortie de secours
fire escape	escalier de secours
balcony	balcon
view	vue
key	clé

a two/three star hotel
un hôtel deux/trois étoiles

have you got any vacancies?
avez-vous des chambres libres ?

I'd like a single/double room
je voudrais une chambre pour une personne/deux personnes

a room overlooking the sea
une chambre donnant sur la mer

a room with a private bathroom
une chambre avec salle de bain

for how many nights?
pour combien de nuits ?

we're full
nous sommes complets

could you please call me at seven a.m.?
pouvez-vous me réveiller à sept heures ?

I'm in room number 7
je suis à la chambre numéro 7

could you make up my bill please?
pourriez-vous préparer ma note, s'il vous plaît ?

'do not disturb'
"ne pas déranger"

43. CAMPING, CARAVANNING AND YOUTH HOSTELS
LE CAMPING, LE CARAVANING ET LES AUBERGES DE JEUNESSE

to camp	camper
to go camping	faire du camping
to camp in the wild	faire du camping sauvage
to go caravanning	faire du caravaning
to hitch-hike	faire de l'auto-stop
to pitch the tent	planter la tente
to take down the tent	démonter la tente
to sleep out in the open	dormir à la belle étoile
camping	camping (*activité*)
campsite	(terrain de) camping
camper	campeur
tent	tente
Lilo (*R*)	matelas pneumatique
fly sheet	double toit
ground sheet	tapis de sol
peg	piquet
rope	corde
fire	feu
campfire	feu de camp
camping gas (*R*)	camping-gaz (*R*)
refill	recharge
stove	réchaud
billy can	gamelle
penknife	canif
bucket	seau
sleeping bag	sac de couchage
torch	lampe de poche
toilet block	sanitaires
showers	douches
toilets	toilettes
drinking water	eau potable

rubbish bin	poubelle
mosquito	moustique

caravanning	caravaning
caravan site	terrain de caravaning
caravan	caravane
Dormobile (*R*)	camping-car
trailer	remorque

youth hostel	auberge de jeunesse
dormitory	dortoir
games room	salle de jeux
membership card	carte de membre
duty	corvée
rucksack	sac à dos
hitch-hiking	auto-stop

may we camp here?
est-ce que nous pouvons camper ici ?

'no camping'
"défense de camper"

44. AT THE SEASIDE
AU BORD DE LA MER

to swim	nager
to go for a swim	aller se baigner
to float	flotter
to splash about	patauger
to dive	plonger
to drown	se noyer
to get a tan	se faire bronzer
to sunbathe	prendre un bain de soleil
to get sunburnt	attraper un coup de soleil
to peel	peler
to splash	éclabousser
to be seasick	avoir le mal de mer
to row	ramer
to sink	couler
to capsize	chavirer
to go on board	monter à bord
to disembark	débarquer
to drop anchor	jeter l'ancre
to weigh anchor	lever l'ancre
sunny	ensoleillé
tanned	bronzé
in the shade	à l'ombre
in the sun	au soleil
off the coast of	au large de
sea	mer
lake	lac
beach	plage
shore	rivage
swimming pool	piscine
diving board	plongeoir
paddling pool	pataugeoire
beach hut	cabine (*plage*)
sand	sable
shingle	galets

rock	rocher
cliff	falaise
salt	sel
wave	vague
high tide	marée haute
low tide	marée basse
current	courant
coast	côte
harbour	port
quay	quai
pier	jetée
jetty	embarcadère
sea front	front de mer
sea bed	fond de la mer
lighthouse	phare
horizon	horizon
lifeguard	surveillant de baignade
swimming instructor	maître nageur
captain	capitaine
bather	baigneur (-euse)
swimmer	nageur (-euse)
shell	coquillage, coquille
fish	poisson
crab	crabe
shark	requin
seagull	mouette

boats   les bateaux

ship	bateau, navire
boat	bateau, barque
rowing boat	bateau à rames
sailing boat	voilier
motorboat	bateau à moteur
yacht	yacht, voilier
liner	paquebot
ferry	ferry
rubber dinghy	canot pneumatique

pedal boat	pédalo
oar	rame
sail	voile
sailing	voile (*activité*)
anchor	ancre

things for the beach   les affaires de plage

swimsuit	maillot de bain (*pour femme*)
trunks	maillot (*pour homme*)
bikini	bikini
bathing cap	bonnet de bain
goggles	masque/lunettes de plongée
snorkel	tuba
flippers	palmes
rubber ring	bouée
buoy	balise flottante
Lilo (*R*), air-bed	matelas pneumatique
deckchair	transat
beach towel	serviette de bain
sunglasses	lunettes de soleil
suntan oil	crème à bronzer
suntan lotion	lait solaire
sunburn	coup de soleil
spade	pelle
bucket	seau
sandcastle	château de sable
frisbee (*R*)	frisbee (*R*)
ball	ballon

I can't swim
je ne sais pas nager

no bathing
baignade interdite

'man overboard!'
"un homme à la mer !"

45. GEOGRAPHICAL TERMS
LES TERMES GEOGRAPHIQUES

continent	continent
country	pays
developing country	pays en voie de développement
area	région
district	région, quartier
city	(grande) ville
town	ville, commune
village	village
capital (city)	capitale
mountain	montagne
mountain chain	chaîne de montagnes
hill	colline
cliff	falaise
summit	sommet
peak	pic
pass	col
valley	vallée
plain	plaine
plateau	plateau
glacier	glacier
volcano	volcan
sea	mer
ocean	océan
lake	lac
pool	mare, étang
pond	mare, étang
river	rivière, fleuve
stream	ruisseau
canal	canal
spring	source
coast	côte
island	île
peninsula	presqu'île, péninsule

promontory	promontoire
bay	baie
estuary	estuaire
desert	désert
forest	forêt
latitude	latitude
longitude	longitude
altitude	altitude
depth	profondeur
area	superficie
population	population
world	monde
universe	univers
Tropics	tropiques
North Pole	pôle Nord
South Pole	pôle Sud
Equator	équateur
planet	planète
earth	terre
sun	soleil
moon	lune
star	étoile
constellation	constellation
Milky Way	Voie lactée

what is the highest mountain in Europe?
quelle est la plus haute montagne d'Europe ?

Voir aussi chapitres **27 LA NATURE, 46 LES PAYS** *et* **47 LES NATIONALITES.**

46. COUNTRIES, CONTINENTS ETC
LES PAYS, LES CONTINENTS, ETC.

countries	les pays
Algeria	Algérie
Austria	Autriche
Belgium	Belgique
Canada	Canada
China	Chine
Czechoslovakia	Tchécoslovaquie
Denmark	Danemark
East Germany	Allemagne de l'Est
Egypt	Egypte
Eire	République d'Irlande
England	Angleterre
Finland	Finlande
France	France
Germany	Allemagne
Great Britain	Grande-Bretagne
Greece	Grèce
Holland	Hollande
Hungary	Hongrie
India	Inde
Ireland	Irlande
Israel	Israël
Italy	Italie
Japan	Japon
Libya	Libye
Luxembourg	Luxembourg
Morocco	Maroc
Netherlands	Pays-Bas
Northern Ireland	Irlande du Nord
Norway	Norvège
Pakistan	Pakistan
Palestine	Palestine
Poland	Pologne

Portugal	Portugal
Russia	Russie
Scotland	Ecosse
Spain	Espagne
Sweden	Suède
Switzerland	Suisse
Tunisia	Tunisie
Turkey	Turquie
United Kingdom	Royaume-Uni
United States	Etats-Unis
USA	E-U
USSR	URSS
Wales	Pays de Galles
West Germany	Allemagne de l'Ouest

continents   les continents

Africa	Afrique
America	Amérique
Asia	Asie
Australia	Australie
Europe	Europe
North America	Amérique du Nord
South America	Amérique du Sud

cities   les villes

Brussels	Bruxelles
Dover	Douvres
Edinburgh	Edimbourg
Geneva	Genève
London	Londres
Lyons	Lyon
Marseilles	Marseille
Moscow	Moscou
Paris	Paris

regions	les régions
the Third World	Tiers Monde
the Eastern Bloc countries	Pays de l'Est
the East	Orient
the Middle East	Moyen-Orient
the Far East	Extrême-Orient
Scandinavia	Scandinavie
Brittany	Bretagne
the South of France	Midi
the French Riviera	Côte d'Azur
Normandy	Normandie
the Basque country	Pays Basque
Cornwall	Cornouailles
the Channel Islands	îles anglo-normandes
the Lake District	la région des lacs
the Highlands	Highlands

seas, rivers, islands and mountains	les mers, les rivières, les îles et les montagnes
the Mediterranean	Méditerranée
the North Sea	Mer du Nord
the Atlantic	Atlantique
the Pacific	Pacifique
the Indian Ocean	océan Indien
the English Channel	Manche
the Rhine	Rhin
the Rhone	Rhône
the Seine	Seine
the Thames	Tamise
the West Indies	Antilles
Corsica	Corse
the Alps	Alpes
the Pyrenees	Pyrénées
the Pennines	chaîne Pénnine

I come from the West Indies
je viens des Antilles

I spent my holidays in Spain
j'ai passé mes vacances en Espagne

Holland is a flat country
la Hollande est un pays plat

it rains a lot in Scotland
il pleut beaucoup en Ecosse

I would like to go to China
j'aimerais aller en Chine

I live in Dover
j'habite (à) Douvres

I'm going to Manchester
je vais à Manchester

Voir aussi chapitre **47 LES NATIONALITES.**

47. NATIONALITIES
LES NATIONALITES

countries	les pays
foreign	étranger
Algerian	algérien
American	américain
Australian	australien
Austrian	autrichien
Belgian	belge
British	britannique
Canadian	canadien
Chinese	chinois
Danish	danois
Dutch	hollandais
English	anglais
Flemish	flamand
French	français
German	allemand
Irish	irlandais
Israeli	israélien
Italian	italien
Japanese	japonais
Moroccan	marocain
Norwegian	norvégien
Pakistani	pakistanais
Palestinian	palestinien
Polish	polonais
Portuguese	portugais
Russian	russe
Scottish	écossais
Soviet	soviétique
Spanish	espagnol
Swedish	suédois
Swiss	suisse
Tunisian	tunisien
Welsh	gallois

areas and cities	les régions et les villes
Oriental	oriental
Western	occidental
African	africain
Asian	asiatique
European	européen
Arabic	arabe
Scandinavian	scandinave
Alsatian	alsacien
Basque	basque
Burgundian	bourguignon
Breton	breton
Norman	normand
Parisian	parisien
Londoner	habitant(e) de Londres
Liverpudlian	de Liverpool
Mancunian	de Manchester
Glaswegian	de Glasgow
a Frenchman	un Français
a Frenchwoman	une Française
an Englishman	un Anglais
an Englishwoman	une Anglaise

the English drink a lot of beer
les Anglais boivent beaucoup de bière

Donald is Scottish
Donald est écossais

I like Chinese food
j'aime la cuisine chinoise

a London paper
un journal londonien

48. LANGUAGES
LES LANGUES

to learn	apprendre
to learn by heart	apprendre par cœur
to understand	comprendre
to write	écrire
to read	lire
to speak	parler
to repeat	répéter
to pronounce	prononcer
to translate	traduire
to improve	s'améliorer
to mean	vouloir dire
French	français
English	anglais
German	allemand
Spanish	espagnol
Portuguese	portugais
Italian	italien
modern Greek	grec moderne
classical Greek	grec ancien
Latin	latin
Russian	russe
Arabic	arabe
Chinese	chinois
Japanese	japonais
Gaelic	gaélique
language	langue
mother tongue	langue maternelle
foreign language	langue étrangère
modern languages	langues vivantes
dead languages	langues mortes
vocabulary	vocabulaire
grammar	grammaire

I don't understand
je ne comprends pas

I am learning English
j'apprends l'anglais

she speaks fluent Spanish
elle parle couramment l'espagnol

he speaks English very badly
il parle très mal l'anglais

English is his native language
sa langue maternelle est l'anglais

in English
en anglais

translated into/from English
traduit en/de l'anglais

could you speak more slowly, please?
pourriez-vous parler plus lentement, s'il vous plaît ?

could you repeat that, please?
pourriez-vous répéter, s'il vous plaît ?

Patrick is good at languages
Patrick est doué pour les langues

Voir aussi chapitre **47 LES NATIONALITES.**

49. HOLIDAYS IN BRITAIN
LES VACANCES EN GRANDE-BRETAGNE

to visit	visiter
to travel	voyager
to be interested in	s'intéresser à
nationalistic	chauvin
patriotic	patriotique
on holiday	en vacances

tourism
le tourisme

holidays	vacances
tourist	touriste
foreigner	étranger
tourist office	office du tourisme
tourist information bureau	syndicat d'initiative
attractions	curiosités
places of interest	sites
specialities	spécialités
crafts	artisanat
guide	guide
guidebook	guide
phrasebook	guide de conversation
map	carte
visit	visite
guided tour	visite guidée
journey	voyage, trajet, parcours
school trip	voyage scolaire
package holiday	voyage organisé
excursion	excursion
coach trip	excursion en car
group	groupe
stay	séjour

consulate	consulat
embassy	ambassade
hospitality	hospitalité

symbols of Great Britain

les symboles de la Grande-Bretagne

the Trooping of the Colour	salut au drapeau (*jour de l'anniversaire de la reine*)
the Changing of the Guard	relève de la garde
Lord Mayor's Procession	procession du Lord Maire de Londres
the Union Jack	drapeau britannique
the National Anthem	hymne national
the Tower of London	tour de Londres
Buckingham Palace	le palais de Buckingham
the Houses of Parliament	le Parlement
double-decker	autobus à impériale
pillar box	boîte à lettres
bowler hat	chapeau melon
bed and breakfast	bed and breakfast
Mary Queen of Scots	Marie Stuart
haggis	panse de brebis farcie
thistle	chardon (*symbole de l'Ecosse*)
leek	poireau (*symbole du Pays de Galles*)
rose	rose (*symbole de l'Angleterre*)
shamrock	trèfle (*symbole de l'Irlande*)

customs

les coutumes

way of life	mode de vie
culture	culture
pub	pub

tea-room	salon de thé
afternoon tea	thé
fish and chips	poisson cuit dans de la pâte à beignets avec des frites
golf	golf
cricket	cricket
bowls	jeu de boules (*sur gazon*)
Christmas carols	chants de Noël
Hogmanay	veillée du 1er de l'an en Ecosse
Guy Fawkes' night	soir du 5 novembre commémorant la tentative d'incendie du parlement par Guy Fawkes
Burns' night	soirée du 25 janvier commémorant la date de l'anniversaire du poète écossais Robert Burns

'**God save the Queen!**'
"vive la reine !"

'**don't forget to tip your guide**'
"n'oubliez pas le guide"

Voir aussi chapitres **25 LA VILLE, 26 LA VOITURE, 38 PREPARER SES VACANCES, 39 LES CHEMINS DE FER, 40 L'AVION, 41 LES TRANSPORTS EN COMMUN, 42 A L'HOTEL, 43 LE CAMPING, 44 AU BORD DE LA MER, 45 LES TERMES GEOGRAPHIQUES** *et* **64 LES DIRECTIONS.**

50. INCIDENTS
LES INCIDENTS

to happen	arriver, se passer
to occur	se produire
to take place	avoir lieu
to meet	(se) rencontrer
to coincide	coïncider
to miss	manquer
to drop	laisser tomber
to spill	renverser, (se) répandre
to knock over	renverser
to fall	tomber
to spoil	abîmer
to damage	endommager
to break	casser, briser
to cause	provoquer
to be careful	faire attention
to forget	oublier
to lose	perdre
to look for	chercher
to recognize	reconnaître
to find	trouver
to find (again)	retrouver
to get lost	se perdre, s'égarer
to lose one's way	perdre son chemin
to ask one's way	demander son chemin
absent-minded	distrait
clumsy	maladroit
unexpected	inattendu
accidentally	par hasard, par mégarde
by chance	par hasard
inadvertently	par inadvertance
coincidence	coïncidence
surprise	surprise

luck	chance
bad luck	malchance
chance	hasard
misadventure	mésaventure
meeting	rencontre
heedlessness	étourderie
fall	chute
damage	dégâts, dommages
forgetfulness	manque de mémoire
loss	perte
lost property office	bureau des objets trouvés
reward	récompense

what a coincidence!
quelle coïncidence !

just my luck!
c'est bien ma veine !

what's wrong?
qu'est-ce qu'il y a ?

what a pity!
quel dommage !

watch out!
attention !

51. ACCIDENTS
LES ACCIDENTS

to drive	rouler, conduire, aller en voiture
to take needless risks	prendre des risques inutiles
not to give way	refuser la priorité
to go through a red light	brûler un feu
to ignore a stop sign	brûler un stop
to skid	déraper
to slide	glisser
to hurtle down	dévaler
to burst	éclater
to lose control of	perdre le contrôle de
to somersault	faire un tonneau
to run into	s'écraser contre, heurter
to run over	écraser
to wreck	démolir, détruire
to demolish	démolir
to damage	endommager
to destroy	détruire
to be trapped	être coincé
to be in a state of shock	être en état de choc
to lose consciousness	perdre connaissance
to regain consciousness	reprendre connaissance
to be in a coma	être dans le coma
to die on the spot	mourir sur le coup
to witness	être témoin de
to draw up a report	établir un constat
to compensate	indemniser
to slip	glisser
to drown	se noyer
to suffocate	étouffer
to fall (from)	tomber (de)
to fall out of the window	tomber par la fenêtre
to get an electric shock	recevoir une décharge électrique

to electrocute oneself	s'électrocuter
to burn oneself	se brûler
to scald oneself	s'ébouillanter
to cut oneself	se couper
drunk	ivre
injured	blessé
dead	mort
serious	grave
insured	assuré

road accidents

les accidents de la route

accident	accident
car accident	accident de voiture
road accident	accident de la circulation
Highway Code	code de la route
car crash	collision, accident de voiture
pile-up	carambolage
impact	choc
smash	choc
explosion	explosion
hard shoulder	bande d'arrêt d'urgence
speeding	excès de vitesse
Breathalyser (R)	alcotest (R)
drunk driving	conduite en état d'ébriété
fatigue	fatigue
poor visibility	manque de visibilité
fog	brouillard
rain	pluie
black ice	verglas
cliff	falaise
precipice	précipice

other accidents	autres accidents
industrial accident	accident du travail
mountaineering accident	accident de montagne
fall	chute
drowning	noyade
electric shock	décharge (électrique)
fire	incendie

injured persons and witnesses	les blessés et les témoins
injured person	blessé
seriously injured person	blessé grave
dead person	mort
witness	témoin
eye witness	témoin oculaire
concussion	commotion cérébrale
injury	blessure
burn	brûlure
composure	sang-froid, calme

help	les secours
emergency services	police-secours
police	police
fire brigade, firemen	pompiers
first aid	premiers secours
emergency	urgence
ambulance	ambulance
doctor	docteur
nurse	infirmier, infirmière
first aid kit	trousse de premiers secours
stretcher	brancard
artificial respiration	respiration artificielle
kiss of life	bouche à bouche

oxygen	oxygène
tourniquet	garrot
extinguisher	extincteur
breakdown vehicle	dépanneuse

the consequences les conséquences

damage	dégâts
report	constat
fine	amende
justice	justice
sentence	condamnation
insurance	assurance
responsibility	responsabilité
damages	dommages et intérêts

his brakes failed
ses freins ont lâché

he's lucky, he escaped with only a few scratches
il s'en est tiré avec quelques égratignures

my car is a write-off
ma voiture est bonne pour la casse

he lost his driving licence
on lui a retiré son permis de conduire

Voir aussi chapitres **6 LA SANTE, 26 LA VOITURE, 28 QUEL TEMPS FAIT-IL ?** *et* **52 LES CATASTROPHES.**

52. DISASTERS
LES CATASTROPHES

to attack	attaquer
to defend	défendre
to collapse	s'effondrer, s'écrouler
to starve	mourir de faim
to erupt	entrer en éruption
to explode	exploser
to shake	trembler
to suffocate	étouffer, suffoquer
to burn	brûler
to extinguish	éteindre
to raise the alarm	donner l'alarme
to rescue	sauver
to sink	couler

war   la guerre

army	armée
navy	marine
air force	armée de l'air
enemy	ennemi
ally	allié
battlefield	champs de bataille
bombing	bombardement
bomb	bombe
nuclear weapons	armement nucléaire
shell	obus
missile	missile
tank	tank, char d'assaut
gun	fusil
machine-gun	mitrailleuse
mine	mine
civilians	civils
refugee	réfugié
soldier	soldat

general	général
colonel	colonel
captain	capitaine
sergeant	sergent
cruelty	cruauté
torture	torture
death	mort
wound	blessure
victim	victime
air-raid shelter	abri antiaérien
nuclear shelter	abri antiatomique
radioactive fallout	retombées radioactives
truce	trêve
treaty	traité
victory	victoire
defeat	défaite
peace	paix

natural disasters   les catastrophes naturelles

drought	sécheresse
famine	famine
malnutrition	malnutrition
lack of	manque de
epidemic	épidémie
tornado	tornade
cyclone	cyclone
tidal wave	raz-de-marée
flooding	inondation
earthquake	tremblement de terre
volcano	volcan
volcanic eruption	éruption volcanique
lava	lave
avalanche	avalanche
relief organisation	organisation d'entraide
the Red Cross	Croix-Rouge

volunteer	volontaire
rescue	sauvetage
SOS	SOS

fires les incendies

fire	incendie, feu
smoke	fumée
flames	flammes
explosion	explosion
fire brigade	pompiers
fireman	pompier
fire engine	voiture de pompiers
ladder	échelle
hose	lance
emergency exit	sortie de secours
panic	panique
ambulance	ambulance
emergency	urgence
help	secours
artificial respiration	respiration artificielle
survivor	survivant

'help!'
"au secours !"

'fire!'
"au feu !"

Voir aussi chapitre **51 LES ACCIDENTS.**

53. CRIMES
LES CRIMES

to steal	voler
to burgle	cambrioler
to threaten	menacer
to murder	assassiner
to assassinate	assassiner (*politique*)
to kill	tuer
to stab	poignarder
to strangle	étrangler
to shoot	abattre
to poison	empoisonner
to attack	attaquer
to force	forcer
to rape	violer

to blackmail	faire chanter
to swindle	tromper
to embezzle	escroquer
to spy	espionner
to prostitute oneself	se prostituer
to drug	droguer
to kidnap	kidnapper
to abduct	enlever
to take hostage	prendre en otage
to set fire to	mettre le feu à

to arrest	arrêter
to investigate	enquêter
to lead an investigation	mener une enquête
to question	interroger
to interrogate	soumettre à un interrogatoire
to search	fouiller
to beat up	passer à tabac
to imprison	emprisonner
to surround	cerner
to seal off	boucler
to lock up	mettre sous les verrous

to rescue	sauver
to defend	défendre
to accuse	accuser
to try	juger
to prove	prouver
to sentence	condamner
to convict	déclarer coupable
to acquit	acquitter
to release	libérer
guilty	coupable
innocent	innocent

crime   le crime

theft	vol
burglary	cambriolage
break-in	effraction
hold-up	hold-up
hijacking	détournement d'avion
attack	attaque
armed attack	attaque à main armée
murder	meurtre, homicide
fraud	escroquerie
confidence trick	abus de confiance
blackmail	chantage
rape	viol
prostitution	prostitution
procuring	proxénétisme
drug trafficking	trafic de drogue
smuggling	contrebande
spying	espionnage
hostage	otage
murderer	meurtrier, assassin
thief	voleur
burglar	cambrioleur
pimp	souteneur
drug dealer	trafiquant
arsonist	incendiaire

weapons

les armes du crime

gun	revolver, fusil, pistolet
pistol	pistolet
rifle	fusil
revolver	revolver
knife	couteau
dagger	poignard
poison	poison
punch	coup de poing
knuckle-duster	coup-de-poing américain

police

la police

policeman	policier, gendarme
riot policeman	CRS
detective	détective
superintendent	commissaire
Vice Squad	brigade des mœurs
Fraud Squad	service de la répression des fraudes
mounted police	police montée
police station	commissariat, gendarmerie, poste de police
report	constat
investigations	recherches
enquiry	enquête
clue	indice
police dog	chien policier
informer	indicateur
truncheon	matraque
handcuffs	menottes
helmet	casque
shield	bouclier
tear gas	gaz lacrymogène
police van	fourgonnette de police
cell	cellule

the judicial system	le système judiciaire
case	procès, affaire
trial	procès
accused	accusé
victim	victime
evidence	preuve
witness	témoin
lawyer	avocat
judge	juge
jury	jurés
defence	défense
sentence	condamnation
reprieve	sursis
suspended sentence	peine avec sursis
reduced sentence	remise de peine
fine	amende
probation	liberté surveillée
imprisonment	réclusion
prison	prison
life sentence	prison à vie
death sentence	peine de mort
electric chair	chaise électrique
hanging	mort par pendaison
miscarriage of justice	erreur judiciaire

he was sentenced to 20 years' imprisonment
il a été condamné à 20 ans de réclusion

the police are investigating this case
la police mène l'enquête sur cette affaire

54. ADVENTURES AND DREAMS
LES AVENTURES ET LES REVES

to play	jouer
to have fun	s'amuser
to imagine	imaginer
to happen	arriver
to hide	se cacher
to run off/away	se sauver
to escape	s'échapper
to chase	poursuivre
to discover	découvrir
to explore	explorer
to dare	oser
to dress up (as a)	se déguiser (en)
to play truant	faire l'école buissonnière
to play hide-and-seek	jouer à cache-cache
to take to one's heels	prendre ses jambes à son cou
to bewitch	ensorceler
to tell fortunes	dire la bonne aventure
to foretell	prophétiser
to dream	rêver
to daydream	rêvasser
to have a dream	faire un rêve
to have a nightmare	faire un cauchemar

adventures

les aventures

adventure	aventure
misadventure	mésaventure
game	jeu
playground	terrain de jeux
journey	voyage
escape	fuite, évasion
disguise	déguisement
unknown	inconnu

event	événement
discovery	découverte
chance	hasard
luck	chance
ill-luck	malchance
danger	danger
risk	risque
hiding place	cachette
cave	grotte
island	île
treasure	trésor
courage	courage
recklessness	témérité
cowardice	lâcheté

fairytales and legends
les contes de fées et les légendes

wizard	sorcier
witch	sorcière
magician	magicien(ne)
fairy	fée
sorcerer	enchanteur
prophet	prophète
gnome	gnome
imp	lutin
goblin	lutin
dwarf	(petit) nain
giant	géant
ghost	fantôme, revenant
skeleton	squelette
vampire	vampire
dragon	dragon
werewolf	loup-garou
monster	monstre
extra-terrestrial	extraterrestre
owl	hibou
toad	crapaud
black cat	chat noir

haunted castle	château hanté
cemetery	cimetière
space ship	vaisseau spatial
UFO	ovni
universe	univers
magic	magie
superstition	superstition
magic wand	baguette magique
flying carpet	tapis volant
broomstick	balai
crystal ball	boule de cristal
tarot	tarot
lines of the hand	lignes de la main
full moon	pleine lune

dreams   les rêves

dream	rêve
daydreaming	rêverie
nightmare	cauchemar
imagination	imagination
subconscious	inconscient
hallucination	hallucination
waking up	réveil

I've had a nice dream/horrible nightmare
j'ai fait un beau rêve/affreux cauchemar

do you know what happened to me yesterday?
sais-tu ce qui m'est arrivé hier ?

you let your imagination run away with you
tu as trop d'imagination

55. THE TIME
L'HEURE

things that tell the time	les objets indiquant l'heure
watch	montre
digital watch	montre digitale
clock	pendule, horloge
alarm clock	réveil
stopwatch	chronomètre
speaking clock	horloge parlante
time switch	minuterie
timer	minuteur
clock tower	clocher
bell	cloche, sonnette
sun dial	cadran solaire
egg-timer	sablier
hands of a watch	aiguilles d'une montre
minute hand	petite aiguille
hour hand	grande aiguille
second hand	trotteuse
time zone	fuseau horaire
Greenwich Mean Time (GMT)	temps moyen de Greenwich
British Summer Time	heure d'été

what time is it?
quelle heure est-il ?

one o'clock	une heure
eight a.m.	huit heures du matin
eight o'clock in the morning	huit heures du matin
five (minutes) past eight	huit heures cinq
a quarter past eight	huit heures et quart
ten thirty	dix heures trente

half past ten	dix heures et demie
twenty to eleven	onze heures moins vingt
a quarter to eleven	onze heures moins le quart
twelve fifteen	douze heures quinze
a quarter past twelve	midi et quart
two p.m.	deux heures de l'après-midi, quatorze heures
two o'clock in the afternoon	deux heures de l'après-midi
two thirty p.m.	quatorze heures trente
ten p.m.	dix heures du soir, vingt-deux heures
ten o'clock in the evening	dix heures du soir

divisions of time   la division du temps

time	temps, heure
moment	moment, instant
second	seconde
minute	minute
quarter of an hour	quart d'heure
half-an-hour	demi-heure
three quarters of an hour	trois quarts d'heure
hour	heure
an hour and a half	une heure et demie
day	jour, journée
sunrise	lever du soleil
morning	matin, matinée
noon	midi
afternoon	après-midi
evening	soir, soirée
sunset	coucher du soleil
night	nuit
midnight	minuit

being late/on time	être en retard/à l'heure
to leave on time	partir à l'heure
to be early	être en avance
to be ahead of schedule	avoir de l'avance
to be on time	être à l'heure
to arrive in time	arriver à temps
to be late	être en retard
to be behind schedule	avoir du retard
to hurry (up)	se dépêcher
to be in a hurry	être pressé

when?	quand ?
when	quand, lorsque
before	avant (que)
after	après (que)
during	pendant
early	tôt
late	tard
now	maintenant
at the moment	en ce moment
straightaway	tout de suite
immediately	immédiatement
already	déjà
presently	tout à l'heure, bientôt
a short while ago	tout à l'heure (*passé*)
suddenly	soudain
soon	bientôt
first	d'abord
then	ensuite, puis, alors
finally	enfin
at that time	à ce moment-là
recently	récemment
since	depuis (que)
while	pendant que

meanwhile	entre-temps
for a long time	longtemps
a long time ago	il y a longtemps
always	toujours
never	jamais
often	souvent
sometimes	parfois
from time to time	de temps en temps
rarely	rarement

what time is it?
quelle heure est-il ?

it's two o'clock (exactly)
il est deux heures (pile)

be there at two o'clock sharp
sois là à deux heures pile

do you have the (exact) time?
avez-vous l'heure (exacte) ?

at what time does the train leave?
à quelle heure part le train ?

it's about two o'clock
il est deux heures environ

he came at around two
il est venu vers deux heures

my watch is fast/slow
ma montre avance/retarde

I've set my watch to the right time
j'ai mis ma montre à l'heure

I haven't time to go out
je n'ai pas le temps de sortir

hurry up and get dressed
dépêche-toi de t'habiller

it's not time yet
ce n'est pas encore l'heure

56. THE WEEK
LA SEMAINE

Monday	lundi
Tuesday	mardi
Wednesday	mercredi
Thursday	jeudi
Friday	vendredi
Saturday	samedi
Sunday	dimanche
day	jour, journée
week	semaine, huit jours
weekend	week-end
fortnight	quinze jours
today	aujourd'hui
tomorrow	demain
the day after tomorrow	après-demain
yesterday	hier
the day before yesterday	avant-hier
the day before	la veille
the day after	le lendemain
two days later	le surlendemain
this week	cette semaine
next week	la semaine prochaine
last week	la semaine dernière
last Monday	lundi dernier
next Monday	lundi prochain
in a week's time	dans une semaine aujourd'hui
a week today	aujourd'hui en huit
in two weeks' time	dans deux semaines aujourd'hui
Thursday week	jeudi en huit
yesterday morning	hier matin
last night	hier soir, la nuit dernière, cette nuit

this evening	ce soir
tonight	ce soir, cette nuit
tomorrow morning	demain matin
tomorrow evening	demain soir
three days ago	il y a trois jours

on Thursday I went to the swimming pool
jeudi, je suis allé(e) à la piscine

on Thursdays I go to the swimming pool
le jeudi, je vais à la piscine

I go to the swimming pool every Thursday
je vais à la piscine tous les jeudis

he comes to see me every day
il vient me voir tous les jours

at the weekend
le week-end

see you tomorrow!
à demain !

see you next week!
à la semaine prochaine !

57. THE YEAR
L'ANNEE

the months of the year les mois de l'année

January	janvier
February	février
March	mars
April	avril
May	mai
June	juin
July	juillet
August	août
September	septembre
October	octobre
November	novembre
December	décembre
month	mois
quarter	trimestre
year	an, année
decade	décennie
century	siècle

the seasons les saisons

season	saison
spring	printemps
summer	été
autumn	automne
winter	hiver

festivals les jours de fête

public holiday	jour férié
Christmas	Noël

New Year's Eve	la Saint-Sylvestre
New Year's Day	jour de l'an
Shrove Tuesday	Mardi gras
Ash Wednesday	mercredi des Cendres
Good Friday	vendredi saint
Easter	Pâques
Easter Monday	lundi de Pâques
Whitsun	Pentecôte
St Valentine's Day	la Saint-Valentin
April Fools' Day	premier avril

my birthday is in February
mon anniversaire est en février

it rains a lot in March
il pleut beaucoup au mois de mars

summer is my favourite season
l'été est ma saison préférée

in winter I go skiing
en hiver je fais du ski

Voir aussi chapitres **55 L'HEURE, 56 LA SEMAINE** *et* **58 LA DATE.**

58. THE DATE
LA DATE

to date (from)	dater (de)
to last	durer
the present	présent
the past	passé
the future	avenir
history	histoire
prehistory	préhistoire
antiquity	antiquité
the Middle Ages	Moyen Age
the Renaissance	Renaissance
the Age of Reason	Siècle des lumières
the French Revolution	Révolution française
the Industrial Revolution	Révolution industrielle
the twentieth century	vingtième siècle
the year 2000	an 2000
date	date
present	actuel, présent
current	actuel
modern	moderne
past	passé
future	futur
annual	annuel
yearly	annuel
monthly	mensuel
weekly	hebdomadaire
daily	quotidien, journalier
in the past	autrefois
in times past	jadis
formerly	naguère
for a long time	longtemps
never	jamais
always	toujours
sometimes	parfois

when	quand, lorsque
since	depuis (que)
again	encore (une fois)
still	encore, toujours
at that time	à cette époque(-là)
BC	avant J.-C.
AD	après J.-C.

what date is it today?
quel jour/le combien sommes-nous aujourd'hui ?

it's the 1st (first) of June 1988
nous sommes le 1er juin 1988

it's the 15th (fifteenth) of August
nous sommes le 15 août

in 1992
en 1992

when is your birthday?
quelle est la date de ton anniversaire ?

he'll be back on the 16th (sixteenth) of July
il reviendra le 16 juillet

he left a year ago
il y a un an qu'il est parti

once upon a time, there was . . .
il était une fois . . .

Voir aussi chapitres **55 L'HEURE, 56 LA SEMAINE** *et* **57 L'ANNEE.**

59. NUMBERS
LES NOMBRES

zero, nought	zéro
one	un
two	deux
three	trois
four	quatre
five	cinq
six	six
seven	sept
eight	huit
nine	neuf
ten	dix
eleven	onze
twelve	douze
thirteen	treize
fourteen	quatorze
fifteen	quinze
sixteen	seize
seventeen	dix-sept
eighteen	dix-huit
nineteen	dix-neuf
twenty	vingt
twenty-one	vingt et un
twenty-two	vingt-deux
thirty	trente
forty	quarante
fifty	cinquante
sixty	soixante
seventy	soixante-dix
seventy-one	soixante et onze
seventy-two	soixante-douze
eighty	quatre-vingts
eighty-one	quatre-vingt-un
ninety	quatre-vingt-dix
ninety-one	quatre-vingt-onze
a/one hundred	cent

a/one hundred and one	cent un
a/one hundred and sixty-two	cent soixante-deux
two hundred	deux cents
two hundred and two	deux cent deux
a/one thousand	mille
nineteen ninety	mille neuf cent quatre-vingt-dix
two thousand	deux mille
ten thousand	dix mille
a/one hundred thousand	cent mille
a/one million	un million
a/one thousand million	un milliard
a/one billion	un billion
first	premier
second	deuxième
third	troisième
fourth	quatrième
fifth	cinquième
sixth	sixième
seventh	septième
eighth	huitième
ninth	neuvième
tenth	dixième
eleventh	onzième
twelfth	douzième
thirteenth	treizième
fourteenth	quatorzième
fifteenth	quinzième
sixteenth	seizième
seventeenth	dix-septième
eighteenth	dix-huitième
nineteenth	dix-neuvième
twentieth	vingtième
twenty-first	vingt et unième
twenty-second	vingt-deuxième
thirtieth	trentième
fortieth	quarantième
fiftieth	cinquantième
sixtieth	soixantième

seventieth	soixante-dixième
seventy-first	soixante et onzième
eightieth	quatre-vingtième
eighty-first	quatre-vingt unième
ninetieth	quatre-vingt dixième
ninety-first	quatre-vingt onzième
hundredth	centième
hundred and twentieth	cent vingtième
two hundredth	deux centième
thousandth	millième
two thousandth	deux millième
figure	chiffre
number	nombre, numéro

a/one hundred/thousand pounds
cent/mille livres

a large number of pupils
un grand nombre d'élèves

two point three (2.3)
deux virgule trois (2,3)

fifty per cent
cinquante pour cent

one million French francs
un million de francs français

5,359
5 359

Henry VIII (the Eighth)
Henri VIII

John Paul II (the Second)
Jean Paul II

60. QUANTITIES
LES QUANTITES

to calculate	calculer
to count	compter
to weigh	peser
to measure	mesurer
to share	partager
to divide	diviser
to distribute	distribuer
to share out	répartir
to fill	remplir
to empty	vider
to remove	enlever
to lessen	diminuer
to reduce	réduire
to increase	augmenter
to add	ajouter
to be enough	suffire
nothing	rien
everything	tout
all the . . .	tout le/toute la . . . tous/toutes les . . .
the whole . . .	tout le/toute la . . .
something	quelque chose
some	du, de la, des, quelques, quelques-un(e)s, un peu de
several	plusieurs
each	chaque
every	chaque, tous/toutes les
everybody, everyone	chacun(e), tous, tout le monde
little	peu
a little	un peu
a little bit of	un (petit) peu de
few	peu de (+ *pluriel*)
a few	quelques-un(e)s

lots (of)/a lot (of)	beaucoup (de)
much	beaucoup de (+ *singulier*)
many	beaucoup de (+ *pluriel*)
no . . .	pas de . . .
no more	plus de
more	plus (de)
less	moins (de)
most	la plupart (de)
enough	assez (de), suffisant
too much	trop (de)
about	environ, à peu près
more or less	plus ou moins
scarcely	à peine
just	tout juste
absolutely	tout à fait
at the most	tout au plus
only	seulement
at least	au moins, du moins
half (of)	la moitié (de)
a quarter (of)	un quart (de)
a third (of)	un tiers (de)
and a half	et demi(e)
one and a half	un(e) et demi(e)
two thirds	deux tiers
three quarters	trois quarts
the whole	le tout
rare	rare
numerous	nombreux
equal	égal
extra	supplémentaire
full	plein
empty	vide
single	seul, unique
double	double
treble	triple
a heap (of)	un tas (de)
a stack (of)	une pile (de)

a piece (of)	un morceau (de)
a slice (of)	une tranche (de)
a glass (of)	un verre (de)
a plate (of)	une assiette (de)
a box (of)	une boîte (de)
a tin (of)	une boîte (de) (*conserve, etc.*)
a packet (of)	un paquet (de)
a mouthful (of)	une bouchée/gorgée (de)
a spoonful (of)	une cuillerée (de)
a handful (of)	une poignée (de)
a pair (of)	une paire (de)
a large number of	un grand nombre de
masses of	une foule (de)
a crowd (of)	une foule (de) (*gens*)
a part (of)	une partie (de)
a dozen	douzaine (de)
half a dozen	demi-douzaine (de)
hundreds	des centaines
thousands	des milliers
the rest (of)	le reste (de)

weight and measurements
les poids et les mesures

ounce	once
gramme	gramme
pound	livre
kilo	kilo
ton	tonne
litre	litre
pint	pinte
inch	pouce
foot	pied
centimetre	centimètre
metre	mètre
kilometre	kilomètre
mile	mille

61. DESCRIBING SOMETHING
DECRIRE QUELQUE CHOSE

size	grandeur, taille
width	largeur
breadth	largeur
height	hauteur
depth	profondeur
beauty	beauté
ugliness	laideur
appearance	aspect
shape	forme
quality	qualité
tall	grand, haut
big	grand, gros
small	petit
enormous	énorme
tiny	minuscule
microscopic	microscopique
wide	large
narrow	étroit
thick	épais
large	gros, grand, important
fat	gros, gras
thin	mince, maigre
slim	mince
flat	plat
deep	profond
shallow	peu profond
long	long
short	court
high	haut
low	bas
lovely	beau
beautiful	beau, magnifique
good	bon
better	meilleur

the best	le meilleur
pretty	joli
cute	mignon
marvellous	merveilleux
magnificent	magnifique
imposing	grandiose, imposant
superb	superbe
fantastic	fantastique
extraordinary	extraordinaire
excellent	excellent
perfect	parfait
ugly	laid
bad	mauvais
mediocre	médiocre
worse	pire
the worst	le pire
appalling	épouvantable
dreadful	affreux
atrocious	atroce
defective	défectueux
light	léger
heavy	lourd
hard	dur
firm	ferme
shiny	brillant
solid	solide
sturdy	robuste, solide
soft	mou, doux
delicate	délicat
fine	fin
smooth	lisse
hot	(très) chaud
warm	chaud
cold	froid
lukewarm	tiède
dry	sec
wet	mouillé
damp	humide
liquid	liquide

simple	simple
complicated	compliqué
difficult	difficile
easy	facile
handy	pratique
useful	utile
useless	inutile
old	vieux
ancient	ancien
new	neuf, nouveau
modern	moderne
out of date	démodé
fresh	frais
cool	frais (*température*)
clean	propre
dirty	sale
disgusting	dégoûtant
worn out	usé
curved	courbe
straight	droit
round	rond
circular	circulaire
oval	ovale
rectangular	rectangulaire
square	carré
triangular	triangulaire
very	très
too	trop
rather	plutôt
quite	assez
well	bien
badly	mal
better	mieux
the best	le mieux

what's it like?
c'est comment ?

62. COLOURS
LES COULEURS

beige	beige
black	noir
blue	bleu
sky blue	bleu ciel
navy blue	bleu marine
royal blue	bleu roi
brown	brun, marron
flesh-coloured	chair
gold	or
golden	doré
green	vert
grey	gris
mauve	mauve
orange	orange
pink	rose
purple	violet
red	rouge
silver	argenté
turquoise	turquoise
white	blanc
yellow	jaune
dark	sombre
bright	vif
pale	pâle
plain	uni
multicoloured	multicolore
light	clair
dark	foncé
light green	vert clair
dark green	vert foncé

what colour is it?
c'est de quelle couleur ?

63. MATERIALS
LES MATIERES

real	véritable
natural	naturel
synthetic	synthétique
artificial	artificiel
material	matière, tissu
composition	composition
substance	substance
raw material	matière première
product	produit
earth	terre
water	eau
air	air
fire	feu
stone	pierre
rock	roche
ore	minerai
mineral	minéral
precious stones	pierres précieuses
crystal	cristal
marble	marbre
granite	granit
diamond	diamant
clay	argile
oil	pétrole
gas	gaz
metal	métal
aluminium	aluminium
bronze	bronze
copper	cuivre
brass	laiton
tin	fer blanc
pewter	étain
iron	fer

steel	acier
lead	plomb
gold	or
silver	argent
wire	fil de fer
wood	bois
pine	pin
cane	rotin
wickerwork	osier
straw	paille
bamboo	bambou
plywood	contre-plaqué
concrete	béton
cement	ciment
brick	brique
plaster	plâtre
putty	mastic
glue	colle
glass	verre
cardboard	carton
paper	papier
plastic	plastique
rubber	caoutchouc
earthenware	terre cuite
china	porcelaine
stoneware	poterie de grès
sandstone	grès
wax	cire
leather	cuir
fur	fourrure
suede	daim
acrylic	acrylique
cotton	coton
lace	dentelle
wool	laine
linen	lin
nylon	nylon

polyester	polyester
silk	soie
synthetic material	tissu synthétique
man-made fibre	fibre synthétique
canvas	toile
oilcloth	toile cirée
tweed	tweed
cashmere	cachemire
velvet	velours
cord	velours côtelé

the house is made of wood
cette maison est en bois

a wooden spoon
une cuillère en bois

the Iron Age
l'âge de fer

64. DIRECTIONS
LES DIRECTIONS

to ask	demander
to point out	indiquer
to show	montrer
take	prenez
keep going	continuez
follow	suivez
go past	passez devant
go back	retournez
reverse	reculez
turn right	tournez à droite
turn left	tournez à gauche

directions

les directions

left	la gauche
right	la droite
on/to the left	à gauche
on/to the right	à droite
straight ahead/on	tout droit
where	où
in front of	devant
behind	derrière
on	sur
under	sous
beside	à côté de
opposite	en face de
in the middle of	au milieu de
along	le long de
at the end of	au bout de
between	entre
after	après
after the traffic lights	après les feux
just before	juste avant

for ... metres	sur ... mètres
at the next crossroads	au prochain carrefour
first on the right	première à droite
second on the left	deuxième à gauche

the points of
the compass

les points
cardinaux

south	sud
north	nord
east	est
west	ouest
north-east	nord-est
south-west	sud-ouest

can you tell me the way to the station?
pouvez-vous m'indiquer comment aller à la gare ?

is it far from here?
c'est loin d'ici ?

ten minutes from here
à dix minutes d'ici

100 metres away
à 100 mètres d'ici

to the left of the post office
à gauche de la poste

south of Newcastle
au sud de Newcastle

London is in the south of England
Londres est au sud de l'Angleterre

France is to the south of England
La France est au sud de l'Angleterre

65. AMERICANISMS
QUELQUES AMERICANISMES

Dans ce chapitre, vous trouverez une liste de mots en anglais britannique, suivis de leur équivalent en américain, avec leur traduction en français. Les mots suivis d'un astérisque sont employés à la fois en Grande-Bretagne et aux Etats-Unis.

aubergine/eggplant	aubergine
autumn/fall	automne
beetroot/beet	betterave
bill/check	addition
biscuit/cookie	petit gâteau sec
bonnet/hood	capot (*voiture*)
boot/trunk	coffre (*voiture*)
braces/suspenders	bretelles
bumper/fender	pare-chocs
camp bed/cot	lit de camp
car hire/car rental*	location de voitures
car park/parking lot	parking
caravan/trailer	caravane
caster sugar/powdered sugar	sucre en poudre
cheeky/fresh	effronté
chemist's/pharmacy*, **drug store**	pharmacie
chips/(French) fries*	frites
cinema/movie theater	cinéma
cornflour/corn starch	maïzena (*R*)
counterfoil/stub*	talon (*chèque*)
courgette/zucchini	courgette
crisps/chips	chips
current account/checking account	compte courant
curtains/drapes	rideaux
deposit account/savings account	compte de dépôts

directory enquiries/ information	renseignements (*téléphone*)
drawing pin/thumb tack	punaise
dummy/pacifier	sucette (*bébé*)
dustman/garbage collector	éboueur
elastic band/rubber band	élastique
engaged tone/busy signal	sonnerie occupé
engaged/busy*	occupé (*téléphone*)
estate agent/realtor	agent immobilier
estate car/station wagon	break (*voiture*)
ex-directory/unlisted	sur la liste rouge
extension/local	poste (*téléphone*)
false teeth/dentures*	dentier
film/movie*	film
fireman/firefighter	pompier
first floor/second floor	premier étage
flat/apartment	appartement
garden/yard	jardin
goods train/freight train	train de marchandises
to grill/broil	griller
ground floor/first floor	rez-de-chaussée
guard/conductor	chef de train
handbag/purse	sac à main
high street/main street*	rue principale
holiday/vacation	vacances
hoover/vacuum*	aspirateur
ice lolly/popsicle	esquimau
ill/sick*	malade
interval/intermission*	entracte
ironmonger's/hardware store	quincaillerie
janitor/superintendent	concierge
jumper/sweater*	pull
junction/intersection	croisement, carrefour
leader/concertmaster	premier violon
letter box/mail box	boîte à lettres
level crossing/grade crossing	passage à niveau

lift/elevator	ascenseur
lorry/truck	camion
million/billion	million
mince/ground beef	viande (*de bœuf*) hachée
motorway/freeway	autoroute
nappy/diaper	couche (*bébé*)
number plate/license plate	plaque minéralogique
off-licence/liquor store	magasin de vins et alcools
old-age pensioner/golden ager	personne du troisième âge
to overtake/pass	dépasser (*voiture*)
paperback/pocketbook	livre de poche
pavement/sidewalk	trottoir
petrol/gas	essence
postcode/zip code	code postal
postman/mailman	facteur
power point/outlet	prise de courant
primary school/grade school	école primaire
public school/private school*	école privée
puncture/flat*	crevaison
purse/change purse	porte-monnaie
pushchair/stroller	poussette
queue/line	queue
railway/railroad	chemin de fer
return (ticket)/round-trip ticket	aller-retour
reverse the charges/ make a collect call	appeler en PCV
ring/call*	appeler (*téléphone*)
roundabout/traffic circle	rond-point
rubber/eraser*	gomme
rubbish/garbage, trash	déchets
scone/biscuit	petit gâteau rond
sellotape (*R*)/**Scotchtape** (*R*)	scotch (*R*)
shop/store*	magasin
shop assistant/clerk	vendeur (-euse)
single (ticket)/one-way ticket	aller simple

social security/welfare	sécurité sociale
spring onions/scallions	ciboule
stalls/orchestra	orchestre (*fauteuils*)
state school/public school	école publique
sticking plaster/bandaid	sparadrap
study/den	bureau
sweets/candy	bonbons
tap/faucet	robinet
tights/panty hose	collants
tin/can*	boîte (de conserve)
toilet/restroom	toilettes
torch/flashlight	torche (électrique)
train driver/engineer	conducteur de train
tram/trolley car	tramway
trolley/cart	chariot (*supermarché*)
trousers/pants	pantalon
truncheon/night stick	matraque
typist/stenographer	dactylo
underground/subway	métro
vacuum flask/thermos*	bouteille thermos
vomit/throw up*	vomir
waistcoat/vest	(petit) gilet
wallet/billfold	portefeuille

INDEX

INDEX

INDEX

INDEX

INDEX

INDEX

INDEX

INDEX

INDEX

INDEX